D1094054

844.8
S. S 213

LA MARE AU DIABLE

PAR

GEORGE SAND

*EDITED WITH INTRODUCTION, NOTES AND
VOCABULARY, AND WITH PARAPHRASES
FOR RETRANSLATION*

BY

EDWARD S. JOYNES, M.A.

Professor of Modern Languages, South Carolina College

2675.

MARIN UNION
JUNIOR COLLEGE

PQ
2408
A3J7
1899

NEW YORK
HENRY HOLT AND COMPANY

2-15-29.

Copyright, 1899,
BY
HENRY HOLT & CO

June, 1924

PRINTED IN THE U. S. A.

PREFACE.

THE following text—a masterpiece of French prose—is here edited, in accordance with its simple subject and easy style, for the use of students in the first or second year of the study of French, in college or school respectively. While, however, it is easy enough to follow immediately after any good French Reader, its exquisite literary beauty may well engage the attention of older students. With younger readers the first two chapters, which form no part of the story itself and are a little more difficult, are often omitted; yet, as indicating the author's purpose and beautifully expressing some of her views on art and life, they will repay reading, and should be included if possible.

The Introduction, besides giving the important facts of the author's life, aims to inspire the student with some degree of literary interest and sympathy; for school literature should—as soon and as much as possible—be read and felt *as literature*. Apology will not be needed, in a school-book, for dwelling mainly upon the more attractive aspects of George Sand's life and literary career.

The Notes are adapted to the grade of study above indicated. They are intended to be helpful both to the understanding of the French idiom and to the forma-tion of a habit of translation at once accurate and idiomatic. It is only when such habit is formed that the student may be trusted, or may trust himself, to read at sight, without translation.   The Vocabulary aims to include all words that may possibly be needed by students prepared to read such a text.

In two places the text has been slightly altered or abridged, to avoid expressions not suitable for the school.

SOUTH CAROLINA COLLEGE,
    August 1896.

ADDITIONAL NOTE.

IN order to make this beautiful text still more fully available for the use of students, a series of paraphrases for retranslation into French, based on selected portions of the text, have been added in the present edition (1898). For each of the narrative chapters two exercises are given, which may be used consecutively or by selection, or in review, as teachers may prefer.   This method of introduction to French composition has been approved by wide experience.   The present exercises, while introducing considerable variety of phrase and construction, will be found not too difficult for students who have read the text.

The present edition is also made more complete by the inclusion of the author's own *Notice* introductory to this work.

October 1898.

CONTENTS.

		PAGE
Introduction		V
I.—L'Auteur au Lecteur		1
II.—Le Labour		5
III.—Le Père Maurice		12
IV.—Germain le Fin Laboureur		15
V.—La Guillette		19
VI.—Petit-Pierre		23
VII.—Dans la Lande		29
VIII.—Sous les Grands Chênes		34
IX.—La Prière du Soir		39
X.—Malgré le Froid		42
XI.—A la Belle Étoile		48
XII.—La Lionne du Village		54
XIII.—Le Maître		57
XIV.—La Vieille		63
XV.—Le Retour à la Ferme		68
XVI.—La Mère Maurice		72
XVII.—La Petite Marie		75
Notes		79
Vocabulary		99
Paraphrases for Retranslation		123

INTRODUCTION.

Amantine Lucile Aurore Dupin, by marriage Baroness Dudevant and known to fame as George Sand, was born at Paris July 5th, 1804. Her descent and her early education were alike remarkable. Her father, Maurice Dupin, was a young and brilliant officer in the service of the Republic and of the Empire, with native but untrained gifts in both letters and music. He lost his life by a fall from his horse in 1808, yet not without having left a strong impression upon the memory, or at least upon the imagination, of his child, who always delighted to recall his image and to trace to him her most prominent characteristics. Her paternal grandfather, M. Dupin de Francueil (the friend of J. J. Rousseau) was a man of wealth and distinction. At an advanced age he married Marie Aurore, a daughter of the famous Maurice de Saxe, the victor of Fontenoy, who was himself the son of Augustus the Strong, of Saxony, and the celebrated Countess of Königsmark. Thus on the paternal side Aurore Dupin was of noble ancestry, and could claim kinship, direct though illegitimate, with the Kings of France, Louis XVI., Charles X., and Louis XVIII. On the other hand her mother was a true "daughter of the people." The father of Sophie Delaborde was a tamer and trainer of birds in Paris. His daughter, grown up almost without education yet with much native charm, was a *modiste*. Her beauty and grace attracted the attention of the gay young officer, who made her his wife—greatly to the dislike of his proud mother, who finally submitted to a marriage which she never fully forgave.

With her grandmother at her estate of Nohant, in the old province of Berry near the centre of France, the future George Sand spent most of her childhood. Here she acquired that familiarity with country life, that love of rural scenery, and that deep sympathy with the nature and life of the peasantry, that are so marked in her own character and writings. During her father's lifetime his influence had reconciled the differences between his aristocratic mother and his plebeian wife; but now these began to reappear, especially in rivalry for the affections and allegiance of the young Aurore. The grandmother, who during the Revolution had suffered arrest and imprisonment, with loss of property, was deeply attached to the traditions of the old nobility and had corresponding contempt for the new ideas. As the entire estate was hers, she claimed the control of the young girl's education. At the same time she also sought to destroy the mother's influence; until, after long conflict, the latter returned to Paris, where her daughter continued to visit her from time to time. Meanwhile Aurore clung with obstinate affection to her mother, for whom she ever cherished the deepest love and admiration. Thus her earliest education began amid that conflict of ideas and influences, and that revolt against authority, which became such striking features of her subsequent writings. Her instruction was entrusted by her grandmother to a rigid but devoted pedagogue, Deschartres, an old friend of the family, whose arid pedantry increased her native distaste for study and discipline. Thus thrown upon her own resources the young girl read romances, revelled in her own imaginings, nursed the memories of childhood illumined by the splendid image of her father, brooded over her domestic sorrows, wandered at will, alone or with the peasant children, over the hills and fields of Nohant, and grew up alternately happy and discontented—a child of nature—mother of the woman that was to be.

From earliest childhood Aurore Dupin had dwelt in a world of her own fancy. Before she could read or write she made complicated fairy stories that had no end; later, elaborate romances, never concluded and never written down. This creative instinct had been stimulated by her mother, a woman of highly imaginative and sympathetic nature, who, her daughter tells us, knew little difference between the Three Graces and the Seven Wise Virgins, but whose head and heart were full of promiscuous images and legends of beauty and romance. Thus in spite of control, it was perhaps the mother's influence, with the inspiring memories and traditions of the father, that contributed most to the daughter's real education.

But this lawless life offended the austere yet fond grandmother. Accordingly in 1817, in her thirteenth year, Aurore Dupin was sent to the Convent des Dames Anglaises in Paris—the same in which her grandmother had passed her first widowhood, and in which, by a strange fate, she had been imprisoned during the Revolution;—and in which also, by another strange coincidence, a little girl, the future mother of Aurore, had at the same time been shut up for singing in the street a seditious song! To the rigid but kindly discipline of the convent school Aurore Dupin's wild nature yielded only so much obedience as was unavoidable. She has given a charming description of her life there. The school was divided, by a happy classification, into *sages*, *bêtes*, and *diables*. Aurore was soon at the head of the *diables* and led their merry and mischievous pranks. But just as she was expanding into womanhood, this period of insubordination comes suddenly to an end.

She realizes the emptiness of such a life and feels the deep longing to love. One evening when alone in the convent chapel, she undergoes a sudden and mystic conversion, and becomes vaguely conscious of deep religious feeling. True, this was founded in sentiment rather than in conviction ; its ardor soon passed away and her religious views shared the freedom of all her later opinions; but the sentiment of religion, of which she here first became conscious, never died within her, and, indeed, breathes through all her writings. From this time, yet without offending her old friends, Aurore belongs to the *sages*. Under her strong influence the old band of *diables* melts away. Soon the whole school is under che spell of her leadership. By special favor she is allowed to introduce theatricals, and out of her own head she drills her actors in scenes from Molière, which are played before an audience of *religieuses* to whom the very name of Molière would have been an abomination ! She received—not, as she tells, without a twinge of conscience—the credit of both authorship and management ; but she had the pleasure of seeing the whole school enlivened and united by these amusements, and herself rewarded by the gratitude and love of all. Here perhaps her native love for the drama received its first decided development.

In 1820, now 16 years old, Aurore was recalled to Nohant. She vividly describes the delight of this return to the scenes of her childhood, to nature, and to freedom. Now for a year she lived at will. Her love of rural life was undiminished ; she walked, she rode, she mingled with the peasantry. At the same time a passion for reading overcame her. With little reflection but much enthusiasm she read philosophy, poetry, romance. Her religious views were softened and exalted by Chateaubriand's *Génie du Christianisme*, in which her poetic nature found a deep sympathy. Above all Rousseau, whom she afterwards recognized as her first great teacher, impressed her profoundly with his sentimental, socialistic philosophy and with the beauty of his style. But all this reading, too deep and wide for her undisciplined mind, was rather stimulating than wholesome. Her imagination outran her understanding. Filled with a "divine discontent," she abandoned herself to solitude and revery ; she even meditated suicide, or else a permanent return to convent life. But from this overwrought and critical condition she was recalled by the illness and death of her grandmother, to whom she was devotedly attached, and to whom, also, she owes that intimate and sympathetic knowledge of the ideas and manners of the *ancien régime* which appears in some of her writings.

The estate of Nohant was bequeathed to Aurore, but at the same time she was herself left to the care of a guardian, a cousin of her father. Both daughter and mother revolted against this decree. In spite of the wishes of her appointed guardian she accompanied her mother to Paris, and shortly they made a visit to some friends in the country. Here she met M. Casimir Dudevant, son of a retired officer and now a farmer, who soon (1822) became her husband. But the marriage, founded on convenience more than on affection, proved to be utterly uncongenial. Two children were born, Maurice (1823) and Solange (1828), and for eight years the pair lived together. At last, in 1831, a partial separation was agreed on. This unfortunate marriage, with its experience of wounded affection, blighted hope, and moral humiliation, produced a profound effect upon the wife's character, and gave the key-note of her earlier career as an author.

Coming now to Paris unknown, with a mere pittance of allowance, Mme. Dudevant took humble lodgings with her children, and sought the means of a laborious livelihood.

At first she tried embroidering and painting small articles for sale. This failing, she secured employment on the *Figaro* newspaper, conducted by Delatouche,—himself a native of Berry,—whose exacting though friendly criticism she found very helpful. On the staff of the same paper was a young lawyer, Jules Sandeau (later an author of distinction), also a native of Berry, whom she had formerly met at Nohant. These two collaborated, under the pseudonym JULES SAND, in a novel, *Rose et Blanche*, which was successful. Now, feeling her wings grown stronger, she wrote her first book, *Indiana*, which was published (1832) under the name GEORGE SAND. The precise causes leading to the choice of this name are somewhat in dispute. At any rate the success of *Indiana* made it at once widely known. The appearance of *Valentine* in the same year added to its fame, and soon Paris and all France were discussing the name, sex, and history of this brilliant author, who had so suddenly introduced a new era of romance, and a new force into French literature.

Henceforth the personal life of Mme. Dudevant is merged in the literary career of George Sand—by which name only she is henceforth known. This career offers a large canvas, rich in varied and interesting creations, with many bright and some dark colors. To trace it, even in largest outlines, cannot fall within the present purpose. George Sand was one of the most prolific writers that ever lived—the mere catalogue of her works comprehends over a hundred titles—and her restless imagination presents ever new varieties of subject and of treatment. She herself closed the history of her life with her entrance into literature. We may follow the example, excepting only a few brief indications.

With *Valentine* George Sand's literary celebrity was established. She now threw herself heart and soul into her new life. Her unique personality attracted interest, and she soon became a favorite with the younger group of authors and artists in Paris. Thirsting for fresh experiences and by nature and education careless of convention, she often accompanied her friends, in man's clothing, throughout the city, or dined with them, gayly but sparingly, at the literary clubs. Soon she attracted to herself the friendship of eminent men, or of others destined to become eminent, whose influences are more or less reflected in her successive writings. Sandeau and Delatouche, already mentioned ; De Musset, the romantic poet ; Balzac, the great *realist* ; Sainte-Beuve, the master critic ; the painter Delacroix ; the philosopher Lamenais ; the socialists Michel de Bourges and Leroux, and later the democrat Reynaud ; the revolutionist Ledru Rollin ; the musician Chopin—all these, and others, were at different times influential upon her character and her literary development, yet without weakening her own strong personality. While with her quick and exquisite sensibility she easily absorbed light and inspiration, yet with native and essential originality she made these influences her own, and gave them back transfused and exalted by her own genius. A journey to Italy, and especially to Venice (1833), supplied her with much inspiration as well as with some humiliating and sobering experiences. After her final separation from her husband (1836), which she secured at last, with the right to the children and the estate, she divided her time between Paris and Nohant, writing romance after romance in rapid succession, with occasional though less successful attempts in drama. The revolution of 1848, in which she felt the keenest interest, drew her for a time into political writing. But her hopes were soon shattered, and on the establishment of the Empire she withdrew finally to her country home, where she passed the rest of her life in unceasing literary activity.

The war of 1870–71 once more stirred to its depths her patriotic fervor. Yet she lost not faith in France nor in freedom ;
and happily she lived to see her prophetic hopes in part
realized. She died peacefully at Nohant, June 8th, 1876. A
few words may be here added on her personal characteristics.

George Sand was quiet in manner, and reserved except
with her intimates, with whom she was frank and cordial
She was rather taciturn, and describes herself as dull in
company ; but others testify that her conversation had
much quiet charm. Her face was attractive, but rather in
expression than in feature. She gives her own picture in
these words : " Yeux noirs, cheveux noirs, front ordinaire,
teint pâle, nez bien fait, menton rond, bouche moyenne,
taille quatre pieds dix pouces, signes particuliers, aucun." *
In later life particularly she had much quiet repose and
dignity of manner. She was simple in dress and averse to
all display ; was a good rider and walker, and delighted in
outdoor exercise, in her garden and fields, and in visiting
her peasant cottages. These habits helped to maintain her
physical strength : even to old age, after a day of busy
occupation, when her company had retired, she would
write from midnight to dawn. But she could write only
when the impulse came ; then she wrote rapidly—too
rapidly indeed—almost without erasure or revision. A
devoted mother and a kind mistress, she was also an excel-
lent housewife, especially active and skillful with her

---

* This is a modest and depreciative picture. On the other
hand—perhaps with equal exaggeration—a recent writer (Devaux)
speaks of her '' beauté puissante et superbe,'' of which he adds :
"Tous ses contemporains sont unanimes à en louer les charmes."
It is at least certain that George Sand possessed great personal
attraction, especially for men of genius—to whom, likewise, she
was herself strongly attracted. She seems to have had but few
intimate friendships with women.

fingers and excelling in every form of feminine handiwork—a trait which she loved to attribute to her mother. She was abundant in charity and in good works both private and public : of over a million francs earned by her writings she said she had saved only enough to buy gruel for her last illness ! Though earlier the subject of much bitter criticism, she became in her latter days personally popular and widely beloved. During the long years of her serene old age, her home at Nohant was the resort of distinguished pilgrims from far and near, who came to do her homage. The younger generation of French authors regarded her with loving reverence. The passions and errors of her youth were forgotten or forgiven. Her genius and goodness had met with general recognition, her sufferings and her heroism with general sympathy ; and the voice of criticism was silenced in universal grief when *la bonne dame de Nohant*, as she was known in all the country around, was laid to rest by her loving peasantry and neighbors. Her death was felt to be a loss to France, and the sense of that loss has grown deeper to the present day. A bust of her, by her son-in-law, the sculptor Clésinger, holds a place of honor in the Théâtre Français, and in 1884 her statue was erected at La Châtre, a town in Berry, near Nohant.

It is customary to divide the literary life of George Sand into four periods, corresponding to different stages in the development of her literary style. This tradition will be followed here in brief statement, with only the remark that the lines of such an analysis should not be too rigidly drawn ; for all growth is gradual.

The first period, say from 1832 to 1840, is that of subjective conception and emotion. It is the woman, George Sand, that opens to the world her own mind and heart, full of her own experiences, reflecting her own sorrows and aspirations, with wild protest against social wrong and in-justice, and especially against the tyranny of unloving and unhappy marriage. The key-note of her theme is *love;* but it is love unsatisfied, love rebellious and militant, madly yearning for love, for freedom, and for reconciliation with life. This pent-up passion assumes forms often wild and irregular, but never gross ; for George Sand spiritualizes all her creations and illumines every situation with an ideal charm. It is, indeed, her intense ideality and her marvel-lously delicate descriptions that constitute the fascination, perhaps the peril, of her earlier writings. Of this group *Valentine, Lélia, Jacques, Mauprat* may be named.

Gradually, however, this intense subjectivity yielded under wider experience to wider sympathies. The sense of personal wrong and aspiration gives way to the " en-thusiasm of humanity." The influence of her eminent as-sociates and a wider contact with life inspired her with interest in the political and socialistic movements of the day. Now she would reform not marriage only, but all social wrongs and abuses. She pleads for freedom not only for herself and for women, but for all mankind. Her works of this period, from about 1840 to near 1848, though still in the form of romance with love for the central theme, abound in pleas for social reform, in philosophic speculation, and in fascinating theories of life and morals. Correspondingly, most of them are inferior in interest ; the purpose impairs the art. We may mention *Spiridion, Le Compagnon du Tour de France, Horace, Le Meunier d'Angi-bault.* The famous and mystical *Consuelo,* and its sequel *La Comtesse de Rudolstadt,* written under Chopin's influ-ence, also belong to this period. Within the same dates, as if a prelude to a later and purer style, falls (1846) our own story *La Mare au Diable ;* also *Jeanne* (1844).*

* Dr. Wells, in his " Modern French Literature," which had not

But now, just before 1848 and after that stormy epoch, George Sand finds her best self and her happiest style. As if wearied with the passions of the first and the enthusiasms of the second stage, she seeks repose in the beauties of nature and in the simpler aspects of life. The love of nature had always been among the deepest sentiments of her soul. Her earlier works abound in most charming descriptions of natural scenery. Not only had she an eye for every form of beauty, but her sympathetic imagination entered into the deeper significance of nature, and translated its forms into relation with human thought and feeling. In this power, of describing nature and interpreting its voices to the soul of man, she has never been excelled, nor in that of representing the simplest and most natural traits of character. Equally deep and true was her sympathy with animate creatures, with cattle, birds, or insects, and her love of flowers, trees, and fields. Now in such themes she sought her chief inspiration, and from it came some of her most beautiful works. *La Mare au Diable, La Petite Fadette, François le Champi, Les Maîtres Sonneurs*, are of her best style, and perhaps her most enduring creations.

M. Caro, in his admirable *Étude sur George Sand*, defines as the three chief sources of her inspiration: *L'amour, la passion de l'humanité, le sentiment de la nature.* Each of these seems to have had its peculiar period of predominance. In the last years of her life (say after 1856, when she had withdrawn to Nohant) all three seem to have been blended and exalted into a higher harmony—each still present in effective power, yet all controlled and correlated by a clearer

been published when this was written, speaks of these two as "naturalistic idyls that mark an important step in the divorce of fiction from the lyric spirit of romanticism." The same book contains an interesting account of George Sand, with the chronology of her most important works.

MARIN UNION
JUNIOR COLLEGE

intelligence and a richer experience. Now she becomes
more than ever master of her art, and works with freer and
firmer hand. To this period belong some of her best works,
We may name *Les Beaux Messieurs de Bois Doré, Jean de
la Roche, le Marquis de Villemer, Mlle. Merquem, Marianne;*
and in a simpler style, *Légendes Rustiques, le Château de
Pictordu,* and other tales for young readers. During this
period especially she returned to her love for the drama.
Several of her pieces were at different times brought upon
the stage, among them *François le Champi, le Mariage de
Victorine, le Marquis de Villemer,* etc., but only with slight
success: her genius was too ideal, her style too diffuse and
pictorial, for the constraints of the drama. Yet several
volumes of plays show her unwearied industry and ambition
in this direction. Reviving the memories of the convent,
she arranged a theatre in her house for the amusement of
her grandchildren and friends, in which she took great
interest. During this period especially she gave much time
to correspondence, and her published letters contain much
of her most valuable thought. The war of 1870–71 called
forth her passionate and patriotic *Journal d'un Voyageur
pendant la Guerre.* Her hopeful temper and healthy living
maintained her physical and mental powers unimpaired.
Her last work, *Contes d'une Grand' Mère* (left unfinished),
has all the freshness and charm of her best style. To an
earlier date belongs the *Histoire de Ma Vie,* whose charming, womanly pages justify her inscription: " Charité envers
les autres; dignité envers soi-même; sincérité devant Dieu."

What has been the influence of George Sand upon thought
and literature during her lifetime, and down to the present
day? What, finally, is to be her definitive place in literature? These are questions which cannot be discussed
here. Perhaps it is too early for the final answer. That

even before her death she had become a classic, and will continue to be a classic, is without question; but her actual rank may perhaps not yet be determined. Moreover, to be a classic is one thing ; to be greatly or permanently read is another. The very multitude of George Sand's works, and the prolixity of some of them, have diminished her popularity; and besides, many of her books are debarred from universal acceptance. But, with all deduction, she has produced much that belongs to the noblest art in literature and must remain a " perpetual possession." Moreover, George Sand was essentially a poet, and this is an age of prose. The " realistic" tendencies of the present day— which she early foresaw and zealously combated—have not been favorable to her ideal and romantic style. But a reaction will doubtless come; and with a new birth of romance, and a more ideal and poetic conception of life and art, this great master of the romantic form will surely return to favor and power. But that which cannot die—in which she can never be excelled—is her marvellous *style:* the clearness, beauty, simplicity, and power of her wonderful language, wedded harmoniously to sense, thought, and feeling. And, after all, it is this that is most imperishable in literature.

Of an author so long before the public and so much discussed many diverse opinions might be cited from her fellow-countrymen, contemporary or later. We shall content ourselves with brief quotation from two foreign critics less likely to be prepossessed favorably or unfavorably. The judicious writer of the biography (DUDEVANT) in the Encyclopedia Britannica speaks of George Sand as " the most remarkable woman of this age and the greatest authoress in the world's history." And comparing with her the great English novelist George Eliot, to whom he accords some points of superiority, he adds: " But in unity

of design, in harmony of treatment, in that purity and simplicity of language so felicitous and yet so unstudied, in all
those qualities which make the best of George Sand's novels
masterpieces of art, she is as much her inferior." And
from Matthew Arnold: "In the literature of our century, if
the work of Goethe is the greatest and wisest influence, if
the work of Wordsworth is the purest and most poetic,
the most varied and attractive influence is, perhaps, the
work of George Sand. 'Bien dire, c'est bien sentir'; and
her ample and noble style rests upon large and lofty qualities. . . . The immense vibration of George Sand's voice upon
the ear of Europe will not soon pass away. Her passions
and her errors have been abundantly talked of. She left
them behind her, and men's memory of her will leave them
behind also. There will remain of her the sense of benefit
and of stimulus, from the passage upon earth of that large
and frank nature, that large and pure utterance—*the utterance of the early gods*. There will remain an admiring and
ever-widening report of that great soul, simple, affectionate,
without vanity, without pedantry, human, equitable, patient,
kind. . . . In her case we shall not err if we adopt the
poet's faith,

> " And feel that she is greater than we know."

La Mare au Diable is so simple that it scarcely needs
any introduction. The first of George Sand's stories of
rural life, it constitutes, with *La Petite Fadette* and *François
le Champi*, what Sainte-Beuve has called the "Georgics of
France." It is a simple story of rural scenery and peasant life, in which nature and character are alike charmingly
portrayed, and the unconscious growth of an honest love
described with exquisite delicacy and truth. All that may
be needed by way of preface will be found in the first two
chapters, in which also we see something of the author's

conception of art and of life. Of the story itself the author says: "J'ai voulu faire une chose très touchante et très simple, et je n'ai pas réussi à mon gré;" but from this modest disclaimer its readers will surely dissent. Simple as the story is, it is by many regarded as George Sand's master-piece. Sainte-Beuve says of it: "La Mare au Diable est tout simplement un petit chef-d'œuvre;" and Caro calls it "une délicieuse idylle . . . un petit chef-d'œuvre d'exquise chasteté et de poésie champêtre. . . . Ce n'est rien, et ce *rien* restera dans notre littérature d'imagination parmi les œuvres accomplies, nées sous un rayon propice, et consacrées."

NOTICE.

Quand j'ai commencé, par la Mare au Diable *une série de romans champêtres, que je me proposais de réunir sous le titre de* Veillées du Chanvreur, *je n'ai eu aucun système, aucune prétention révolutionnaire en littérature. Personne ne fait une révolution à soi tout seul, et il en est, surtout dans les arts, que l'humanité accomplit sans trop savoir comment, parce que c'est tout le monde qui s'en charge. Mais ceci n'est pas applicable au roman de mœurs rustiques : il a existé de tout temps et sous toutes les formes, tantôt pompeuses, tantôt maniérées, tantôt naïves. Je l'ai dit, et dois le répéter ici, le rêve de la vie champêtre a été de tout temps l'idéal des villes et même celui des cours. Je n'ai rien fait de neuf en suivant la pente qui ramène l'homme civilisé aux charmes de la vie primitive. Je n'ai voulu ni faire une nouvelle langue, ni me chercher une nouvelle manière. On me l'a cependant affirmé dans bon nombre de feuilletons, mais je sais mieux que personne à quoi m'en tenir sur mes propres desseins, et je m'étonne toujours que la critique en cherche si long, quand l'idée la plus simple, la circonstance la plus vulgaire, sont les seules inspirations auxquelles les productions de l'art doivent l'être. Pour la* Mare au Diable *en particulier, le fait que j'ai rapporté dans l'avant-propos, une gravure d'Holbein, qui m'avait frappé, une scène réelle que j'eus sous les yeux dans le même moment, au temps des semailles, voilà tout ce qui m'a poussé à écrire cette histoire modeste, placée au milieu des humbles paysages que je par-*

courais chaque jour. Si on me demande ce que j'ai voulu faire, je répondrai que j'ai voulu faire une chose très touchante et très simple, et que je n'ai pas réussi à mon gré. J'ai bien vu, j'ai bien senti le beau dans le simple, mais voir et peindre sont deux ! Tout ce que l'artiste peut espérer de mieux, c'est d'engager ceux qui ont des yeux à regarder aussi. Voyez donc la simplicité, vous autres, voyez le ciel et les champs, et les arbres, et les paysans surtout dans ce qu'ils ont de bon et de vrai : vous les verrez un peu dans mon livre, vous les verrez beaucoup mieux dans la nature.

GEORGE SAND.

Nohant, 12 avril 1851.

**MARIN UNION
JUNIOR COLLEGE**

LA MARE AU DIABLE

I. — L'AUTEUR AU LECTEUR.

> A la sueur de ton visaige,
> Tu gaignerois ta pauvre vie,
> Après long travail et usaige,   5
> Voicy la *mort* qui te convie.

LE quatrain en vieux français, placé au-dessous d'une composition d'Holbein, est d'une tristesse profonde dans sa naïveté.
La gravure représente un laboureur conduisant sa charrue au
milieu d'un champ.   Une vaste campagne s'étend au loin, on y 10
voit de pauvres cabanes ; le soleil se couche derrière la colline.
C'est la fin d'une rude journée de travail.   Le paysan est vieux,
trapu, couvert de haillons.   L'attelage de quatre chevaux qu'il
pousse en avant est maigre, exténué ; le soc s'enfonce dans un
fonds raboteux et rebelle.   Un seul être est allègre et ingambe 15
dans cette scène de *sueur et usaige.*   C'est un personnage fan-
tastique, un squelette armé d'un fouet, qui court dans le sillon à
côté des chevaux effrayés et les frappe, servant ainsi de valet de
charrue au vieux laboureur.   C'est la mort, ce spectre qu'Holbein a introduit allégoriquement dans la succession de sujets 20
philosophiques et religieux, à la fois lugubres et bouffons, intitu-
lée *les Simulachres de la Mort.*

Dans cette collection, ou plutôt dans cette vaste composition
où la mort, jouant son rôle à toutes les pages, est le lien et la
pensée dominante, Holbein a fait comparaître les souverains, les 25

pontifes, les amants, les joueurs, les ivrognes, les nonnes, les
courtisanes, les brigands, les pauvres, les guerriers, les moines,
les juifs, les voyageurs, tout le monde de son temps et du nôtre ;
et partout le spectre de la mort raille, menace et triomphe.
5 D'un seul tableau elle est absente. C'est celui où le pauvre
Lazare, couché sur un fumier à la porte du riche, déclare qu'il
ne la craint pas, sans doute parce qu'il n'a rien à perdre et que
sa vie est une mort anticipée.

Cette pensée stoïcienne du christianisme demi-païen de la
10 renaissance est-elle bien consolante, et les âmes religieuses y
trouvent-elles leur compte ? L'ambitieux, le fourbe, le tyran, le
débauché, tous ces pécheurs superbes qui abusent de la vie, et
que la mort tient par les cheveux, vont être punis, sans doute ;
mais l'aveugle, le mendiant, le fou, le pauvre paysan, sont-ils
15 dédommagés de leur longue misère par la seule réflexion que la
mort n'est pas un mal pour eux ? Non ! Une tristesse implaca-
ble, une effroyable fatalité pèse sur l'œuvre de l'artiste. Cela
ressemble à une malédiction amère lancée sur le sort de l'humanité.

20 C'est bien là la satire douloureuse, la peinture vraie de la
société qu'Holbein avait sous les yeux. Crime et malheur, voilà
ce qui le frappait ; mais nous, artistes d'un autre siècle, que
peindrons-nous ? Chercherons-nous dans la pensée de la mort
la rémunération de l'humanité présente ? l'invoquerons-nous
25 comme le châtiment de l'injustice et le dédommagement de
la souffrance ?

Non, nous n'avons plus affaire à la mort, mais à la vie. Nous
ne croyons plus ni au néant de la tombe, ni au salut acheté par
un renoncement forcé ; nous voulons que la vie soit bonne,
30 parce que nous voulons qu'elle soit féconde. Il faut que Lazare
quitte son fumier, afin que le pauvre ne se réjouisse plus de la
mort du riche. Il faut que tous soient heureux, afin que le bonheur de quelques-uns ne soit pas criminel et maudit de Dieu.
Il faut que le laboureur, en semant son blé, sache qu'il travaille
35 à l'œuvre de vie, et non qu'il se réjouisse de ce que la mort
marche à ses côtés. Il faut enfin que la mort ne soit plus

ni le châtiment de la prospérité, ni la consolation de la détresse. Dieu ne l'a destinée ni à punir, ni à dédommager de
la vie ; car il a béni la vie, et la tombe ne doit pas être un
refuge où il soit permis d'envoyer ceux qu'on ne veut pas
rendre heureux.   5

Certains artistes de notre temps, jetant un regard sérieux sur
ce qui les entoure, s'attachent à peindre la douleur, l'abjection
de la misère, le fumier de Lazare. Ceci peut être du domaine
de l'art et de la philosophie ; mais, en peignant la misère si laide,
si avilie, parfois si vicieuse et si criminelle, leur but est-il atteint, 10
et l'effet en est-il salutaire, comme ils le voudraient ? Nous
n'osons pas nous prononcer là-dessus. On peut nous dire qu'en
montrant ce gouffre creusé sous le sol fragile de l'opulence, ils
effraient le mauvais riche, comme, au temps de la *danse macabre*,
on lui montrait sa fosse béante et la mort prête à l'enlacer dans 15
ses bras immondes. Aujourd'hui on lui montre le bandit cro-
chetant sa porte et l'assassin guettant son sommeil. Nous
confessons que nous ne comprenons pas trop comment on le
réconciliera avec l'humanité qu'il méprise, comment on le rendra sensible aux douleurs du pauvre qu'il redoute, en lui mon- 20
trant ce pauvre sous la forme du forçat évadé et du rôdeur de
nuit. L'affreuse mort, grinçant des dents et jouant du violon
dans les images d'Holbein et de ses devanciers, n'a pas trouvé
moyen, sous cet aspect, de convertir les pervers et de consoler
les victimes. Est-ce que notre littérature ne procéderait pas 25
un peu en ceci comme les artistes du moyen âge et de la
renaissance ?

Les buveurs d'Holbein remplissent leurs coupes avec une
sorte de fureur pour écarter l'idée de la mort, qui, invisible pour
eux, leur sert d'échanson. Les mauvais riches d'aujourd'hui 30
demandent des fortifications et des canons pour écarter l'idée
d'une jacquerie, que l'art leur montre travaillant dans l'ombre,
en détail, en attendant le moment de fondre sur l'état social.
L'Église du moyen âge répondait aux terreurs des puissants de
la terre par la vente des indulgences. Le gouvernement d'au- 35
jourd'hui calme l'inquiétude des riches en leur faisant payer

beaucoup de gendarmes et de geôliers, de baïonnettes et de prisons.

Albert Durer, Michel-Ange, Holbein, Callot, Goya, ont fait de puissantes satires des maux de leur siècle et de leur pays. Ce 5 sont des œuvres immortelles, des pages historiques d'une valeur incontestable ; nous ne voulons donc pas dénier aux artistes le droit de sonder les plaies de la société et de les mettre à nu sous nos yeux ; mais n'y a-t-il pas autre chose à faire maintenant que la peinture d'épouvante et de menace ? Dans cette 10 littérature de mystères d'iniquité, que le talent et l'imagination ont mise à la mode, nous aimons mieux les figures douces et suaves que les scélérats à effet dramatique. Celles-là peuvent entreprendre et amener des conversions, les autres font peur, et la peur ne guérit pas l'égoïsme, elle l'augmente.

15 Nous croyons que la mission de l'art est une mission de sentiment et d'amour, que le roman d'aujourd'hui devrait remplacer la parabole et l'apologue des temps naïfs, et que l'artiste a une tâche plus large et plus poétique que celle de proposer quelques mesures de prudence et de conciliation pour atténuer l'effroi 20 qu'inspirent ses peintures. Son but devrait être de faire aimer les objets de sa sollicitude, et au besoin, je ne lui ferais pas un reproche de les embellir un peu. L'art n'est pas une étude de la réalité positive ; c'est une recherche de la vérité idéale, et le *Vicaire de Wakefield* fut un livre plus utile et plus sain à l'âme 25 que le *Paysan perverti* et les *Liaisons dangereuses*.

Lecteur, pardonnez-moi ces réflexions, et veuillez les accepter en manière de préface. Il n'y en aura point dans l'historiette que je vais vous raconter, et elle sera si courte et si simple que j'avais besoin de m'en excuser d'avance, en vous disant ce que 30 je pense des histoires terribles.

C'est à propos d'un laboureur que je me suis laissé entraîner à cette digression. C'est l'histoire d'un laboureur précisément que j'avais l'intention de vous dire et que je vous dirai tout à l'heure.

II. — LE LABOUR.

Je venais de regarder longtemps et avec une profonde mélancolie le laboureur d'Holbein, et je me promenais dans la campagne, rêvant à la vie des champs et à la destinée du cultivateur. Sans doute il est lugubre de consumer ses forces et ses jours à fendre le sein de cette terre jalouse, qui se fait arracher les trésors de sa fécondité, lorsqu'un morceau de pain le plus noir et le plus grossier est, à la fin de la journée, l'unique récompense et l'unique profit attachés à un si dur labeur. Ces richesses qui couvrent le sol, ces moissons, ces fruits, ces bestiaux orgueilleux qui s'engraissent dans les longues herbes, sont la propriété de quelques-uns et les instruments de la fatigue et de l'esclavage du plus grand nombre. L'homme de loisir n'aime en général pour eux-mêmes, ni les champs, ni les prairies, ni le spectacle de la nature, ni les animaux superbes qui doivent se convertir en pièces d'or pour son usage. L'homme de loisir vient chercher un peu d'air et de santé dans le séjour de la campagne, puis il retourne dépenser dans les grandes villes le fruit du travail de ses vassaux.

De son côté, l'homme du travail est trop accablé, trop malheureux, et trop effrayé de l'avenir, pour jouir de la beauté des campagnes et des charmes de la vie rustique. Pour lui aussi les champs dorés, les belles prairies, les animaux superbes, représentent des sacs d'écus dont il n'aura qu'une faible part, insuffisante à ses besoins, et que, pourtant, il faut remplir, chaque année, ces sacs maudits, pour satisfaire le maître et payer le droit de vivre parcimonieusement et misérablement sur son domaine.

Et pourtant, la nature est éternellement jeune, belle et généreuse. Elle verse la poésie et la beauté à tous les êtres, à toutes les plantes, qu'on laisse s'y développer à souhait. Elle possède le secret du bonheur, et nul n'a su le lui ravir. Le plus heureux des hommes serait celui qui, possédant la science de son labeur, et travaillant de ses mains, puisant le bien-être et la

liberté dans l'exercice de sa force intelligente, aurait le temps
de vivre par le cœur et par le cerveau, de comprendre son
œuvre et d'aimer celle de Dieu. L'artiste a des jouissances de
ce genre, dans la contemplation et la reproduction des beautés
5 de la nature ; mais, en voyant la douleur des hommes qui peu-
plent ce paradis de la terre, l'artiste au cœur droit et humain
est troublé au milieu de sa jouissance. Le bonheur serait là où
l'esprit, le cœur et les bras, travaillant de concert sous l'œil de
la Providence, une sainte harmonie existerait entre la munifi-
10 cence de Dieu et les ravissements de l'âme humaine. C'est alors
qu'au lieu de la piteuse et affreuse mort, marchant dans son sillon, le fouet à la main, le peintre d'allégories pourrait placer à
ses côtés un ange radieux, semant à pleines mains le blé béni
sur le sillon fumant.

15 Et le rêve d'une existence douce, libre, poétique, laborieuse
et simple pour l'homme des champs, n'est pas si difficile à concevoir qu'on doive le reléguer parmi les chimères. Le mot
triste et doux de Virgile : "O heureux l'homme des champs,
s'il connaissait son bonheur !" est un regret ; mais, comme tous
20 les regrets, c'est aussi une prédiction. Un jour viendra où le
laboureur pourra être aussi un artiste, sinon pour exprimer (ce
qui importera assez peu alors), du moins pour sentir le beau.
Croit-on que cette mystérieuse intuition de la poésie ne soit pas
en lui déjà à l'état d'instinct et de vague rêverie ? Chez ceux
25 qu'un peu d'aisance protège dès aujourd'hui, et chez qui l'excès
du malheur n'étouffe pas tout développement moral et intellec-
tuel, le bonheur pur, senti et apprécié est à l'état élémentaire ;
et, d'ailleurs, si du sein de la douleur et de la fatigue, des voix
de poëtes se sont déjà élevées, pourquoi dirait-on que le travail
30 des bras est exclusif des fonctions de l'âme ? Sans doute cette
exclusion est le résultat général d'un travail excessif et d'une
misère profonde ; mais qu'on ne dise pas que quand l'homme
travaillera modérément et utilement il n'y aura plus que de mauvais ouvriers et de mauvais poëtes. Celui qui puise de nobles
35 jouissances dans le sentiment de la poésie est un vrai poëte,
n'eût-il pas fait un vers dans toute sa vie.

Mes pensées avaient pris ce cours, et je ne m'apercevais pas que cette confiance dans l'éducabilité de l'homme était fortifiée en moi par les influences extérieures.   Je marchais sur la lisière d'un champ que des paysans étaient en train de préparer pour la semaille prochaine.   L'arène était vaste comme celle du ta- 5 bleau d'Holbein.   Le paysage était vaste aussi et encadrait de. grandes lignes de verdure, un peu rougie aux approches de l'automne, ce large terrain d'un brun vigoureux, où des pluies récentes avaient laissé, dans quelques sillons, des lignes d'eau que le soleil faisait briller comme de minces filets d'argent.   La 10 journée était claire et tiède, et la terre, fraîchement ouverte par le tranchant des charrues, exhalait une vapeur légère.   Dans le haut du champ un vieillard, dont le dos large et la figure sévère rappelaient celui d'Holbein, mais dont les vêtements n'annon- çaient pas la misère, poussait gravement son *areau* de forme 15 antique, traîné par deux bœufs tranquilles, à la robe d'un jaune pâle, véritables patriarches de la prairie, hauts de taille, un peu maigres, les cornes longues et rabattues, de ces vieux travailleurs qu'une longue habitude a rendus *frères*, comme on les appelle dans nos campagnes, et qui, privés l'un de l'autre, se refusent 20 au travail avec un nouveau compagnon et se laissent mourir de chagrin.   Les gens qui ne connaissent pas la campagne taxent de fable l'amitié du bœuf pour son camarade d'attelage.   Qu'ils viennent voir au fond de l'étable un pauvre animal maigre, exténué, battant de sa queue inquiète ses flancs décharnés, souf- 25 flant avec effroi et dédain sur la nourriture qu'on lui présente, les yeux toujours tournés vers la porte, en grattant du pied la place vide à ses côtés, flairant les jougs et les chaînes que son compagnon a portés, et l'appelant sans cesse avec de déplora- bles mugissements.   Le bouvier dira : " C'est une paire de 30 bœufs perdue ; son frère est mort, et celui-là ne travaillera plus. Il faudrait pouvoir l'engraisser pour l'abattre ; mais il ne veut pas manger, et bientôt il sera mort de faim."

Le vieux laboureur travaillait lentement, en silence, sans efforts inutiles.   Son docile attelage ne se pressait pas plus que 35 lui ; mais grâce à la continuité d'un labeur sans distraction et d'une dépense de forces éprouvées et soutenues, son sillon était aussi vite creusé que celui de son fils, qui menait, à quelque distance, quatre bœufs moins robustes, dans une veine de terres plus fortes et plus pierreuses.

5   Mais ce qui attira ensuite mon attention était véritablement un beau spectacle, un noble sujet pour un peintre. A l'autre extrémité de la plaine labourable, un jeune homme de bonne mine conduisait un attelage magnifique : quatre paires de jeunes animaux à robe sombre mêlée de noir fauve à reflets de feu, 10 avec ces têtes courtes et frisées qui sentent encore le taureau sauvage, ces gros yeux farouches, ces mouvements brusques, ce travail nerveux et saccadé qui s'irrite encore du joug et de l'aiguillon et n'obéit qu'en frémissant de colère à la domination nouvellement imposée. C'est ce qu'on appelle des bœufs 15 *fraîchement liés.* L'homme qui les gouvernait avait à défricher un coin naguère abandonné au pâturage et rempli de souches séculaires, travail d'athlète auquel suffisaient à peine son énergie, sa jeunesse et ses huit animaux quasi indomptés.

Un enfant de six à sept ans, beau comme un ange, et les 20 épaules couvertes, sur sa blouse, d'une peau d'agneau qui le faisait ressembler au petit saint Jean-Baptiste des peintres de la Renaissance, marchait dans le sillon parallèle à la charrue et piquait le flanc des bœufs avec une gaule longue et légère, armée d'un aiguillon peu acéré. Les fiers animaux frémissaient 25 sous la petite main de l'enfant, et faisaient grincer les jougs et les courroies liés à leur front, en imprimant au timon de violentes secousses. Lorsqu'une racine arrêtait le soc, le laboureur criait d'une voix puissante, appelant chaque bête par son nom, mais plutôt pour calmer que pour exciter ; car les bœufs, irrités 30 par cette brusque résistance, bondissaient, creusaient la terre de leurs larges pieds fourchus, et se seraient jetés de côté emportant l'areau à travers champs, si, de la voix et de l'aiguillon, le jeune homme n'eût maintenu les quatre premiers, tandis que l'enfant gouvernait les quatre autres. Il criait aussi, le pau-35 vret, d'une voix qu'il voulait rendre terrible et qui restait douce comme sa figure angélique. Tout cela était beau de force ou

de grâce : le paysage, l'homme, l'enfant, les taureaux sous le
joug ; et, malgré cette lutte puissante, où la terre était vaincue, il
y avait un sentiment de douceur et de calme profond qui pla-
nait sur toutes choses.   Quand l'obstacle était surmonté et que
l'attelage reprenait sa marche égale et solennelle, le laboureur, 5
dont la feinte violence n'était qu'un exercice de vigueur et une
dépense d'activité, reprenait tout à coup la sérénité des âmes simples et jetait un regard de contentement paternel sur son enfant,
qui se retournait pour lui sourire.   Puis la voix mâle de ce jeune
père de famille entonnait le chant solennel et mélancolique que 10
l'antique tradition du pays transmet, non à tous les laboureurs
indistinctement, mais aux plus consommés dans l'art d'exciter et
de soutenir l'ardeur des bœufs de travail.   Ce chant, dont l'ori-
gine fut peut-être considérée comme sacrée, et auquel de mys-
térieuses influences ont dû être attribuées jadis, est réputé encore 15
aujourd'hui posséder la vertu d'entretenir le courage de ces animaux, d'apaiser leurs mécontentements et de charmer l'ennui de
leur longue besogne.   Il ne suffit pas de savoir bien les conduire
en traçant un sillon parfaitement rectiligne, de leur alléger la
peine en soulevant ou enfonçant à point le fer dans la terre : on 20
n'est point un parfait laboureur si on ne sait chanter aux bœufs,
et c'est là une science à part qui exige un goût et des moyens
particuliers.

Ce chant n'est, à vrai dire, qu'une sorte de récitatif interrompu
et repris à volonté.   Sa forme irrégulière et ses intonations fausses 25
selon les règles de l'art musical le rendent intraduisible.   Mais
ce n'en est pas moins un beau chant, et tellement approprié à la
nature du travail qu'il accompagne, à l'allure du bœuf, au calme
des lieux agrestes, à la simplicité des hommes qui le disent,
qu'aucun génie étranger au travail de la terre ne l'eût inventé, et 30
qu'aucun chanteur autre qu'un *fin laboureur* de cette contrée
ne saurait le redire.   Aux époques de l'année où il n'y a pas
d'autre travail et d'autre mouvement dans la campagne que celui
du labourage, ce chant si doux et si puissant monte comme une
voix de la brise, à laquelle sa tonalité particulière donne une 35
certaine ressemblance.   La note finale de chaque phrase, tenue

et tremblée avec une longueur et une puissance d'haleine incroyable, monte d'un quart de ton en faussant systématique-
ment. Cela est sauvage, mais le charme en est indicible, et
quand on s'est habitué à l'entendre, on ne conçoit pas qu'un
5 autre chant pût s'élever à ces heures et dans ces lieux-là, sans
en déranger l'harmonie.

Il se trouvait donc que j'avais sous les yeux un tableau qui
contrastait avec celui d'Holbein, quoique ce fût une scène pareille. Au lieu d'un triste vieillard, un homme jeune et dispos ;
10 au lieu d'un attelage de chevaux efflanqués et harassés, un double
quadrige de bœufs robustes et ardents ; au lieu de la mort, un
bel enfant ; au lieu d'une image de désespoir et d'une idée de
destruction, un spectacle d'énergie et une pensée de bonheur.

C'est alors que le quatrain français

15   A la sueur de ton visaige, etc.

et le " *O fortunatos . . . agricolas* " de Virgile me revinrent
ensemble à l'esprit, et qu'en voyant ce couple si beau, l'homme
et l'enfant, accomplir dans des conditions si poétiques, et avec
tant de grâce unie à la force, un travail plein de grandeur et de
20 solennité, je sentis une pitié profonde mêlée à un respect invo-
lontaire. Heureux le laboureur ! oui, sans doute, je le serais à
sa place, si mon bras, devenu tout d'un coup robuste, et ma
poitrine devenue puissante, pouvaient ainsi féconder et chanter
la nature, sans que mes yeux cessassent de voir et mon cerveau
25 de comprendre l'harmonie des couleurs et des sons, la finesse
des tons et la grâce des contours, en un mot la beauté mystérieuse des choses ! et surtout sans que mon cœur cessât d'être
en relation avec le sentiment divin qui a présidé à la création
immortelle et sublime.

30 Mais, hélas ! cet homme n'a jamais compris le mystère du
beau, cet enfant ne le comprendra jamais ! . . . Dieu me préserve de croire qu'ils ne soient pas supérieurs aux animaux qu'ils
dominent, et qu'ils n'aient pas par instants une sorte de révéla-
tion extatique qui charme leur fatigue et endort leurs soucis ? Je
35 vois sur leurs nobles fronts le sceau du Seigneur, car ils sont nés

rois de la terre bien mieux que ceux qui la possèdent pour l'avoir payée. Et la preuve qu'ils le sentent, c'est qu'on ne les dépayserait pas impunément, c'est qu'ils aiment ce sol arrosé de leurs sueurs, c'est que le vrai paysan meurt de nostalgie sous le harnais du soldat, loin du champ qui l'a vu naître. Mais il manque 5 à cet homme une partie des jouissances que je possède, jouissances immatérielles qui lui seraient bien dues, à lui, l'ouvrier du vaste temple que le ciel est seul assez vaste pour embrasser. Il lui manque la connaissance de son sentiment. Ceux qui l'ont condamné à la servitude dès le ventre de sa mère, ne pouvant 10 lui ôter la rêverie, lui ont ôté la réflexion.

Eh bien ! tel qu'il est, incomplet et condamné à une éternelle enfance, il est encore plus beau que celui chez qui la science a étouffé le sentiment. Ne vous élevez pas au-dessus de lui, vous autres qui vous croyez investis du droit légitime et imprescripti- 15 ble de lui commander, car cette erreur effroyable où vous êtes prouve que votre esprit a tué votre cœur, et que vous êtes les plus incomplets et les plus aveugles des hommes ! . . . J'aime encore mieux cette simplicité de son âme que les fausses lumières de la vôtre ; et si j'avais à raconter sa vie, j'aurais plus 20 de plaisir à en faire ressortir les côtés doux et touchants, que vous n'avez de mérite à peindre l'abjection où les rigueurs et les mépris de vos préceptes sociaux peuvent le précipiter.

Je connaissais ce jeune homme et ce bel enfant ; je savais leur histoire, car ils avaient une histoire, tout le monde a la sienne, 25 et chacun pourrait intéresser au roman de sa propre vie, s'il l'avait compris. . . . Quoique paysan et simple laboureur, Germain s'était rendu compte de ses devoirs et de ses affections. Il me les avait racontés naïvement, clairement, et je l'avais écouté avec intérêt. Quand je l'eus regardé labourer assez longtemps, 30 je me demandai pourquoi son histoire ne serait pas écrite, quoique ce fût une histoire aussi simple, aussi droite et aussi peu ornée que le sillon qu'il traçait avec sa charrue.

L'année prochaine, ce sillon sera comblé et couvert par un sillon nouveau. Ainsi s'imprime et disparaît la trace de la plu- 35 part des hommes dans le champ de l'humanité. Un peu de

terre l'efface, et les sillons que nous avons creusés se succèdent
les uns aux autres comme les tombes dans le cimetière. Le
sillon du laboureur ne vaut-il pas celui de l'oisif, qui a pourtant un nom, un nom qui restera, si, par une singularité ou
5 une absurdité quelconque, il fait un peu de bruit dans le
monde ? . . .

Eh bien ! arrachons, s'il se peut, au néant de l'oubli, le sillon
de Germain, le *fin laboureur*. Il n'en saura rien et ne s'en
inquiétera guère ; mais j'aurai eu quelque plaisir à le tenter.

10 ## III. — LE PÈRE MAURICE.

Germain, lui dit un jour son beau-père, il faut pourtant te
décider à reprendre femme. Voilà bientôt deux ans que tu es
veuf de ma fille, et ton aîné a sept ans. Tu approches de la
trentaine, mon·garçon, et tu sais que, passé cet âge-là, dans nos
15 pays, un homme est réputé trop vieux pour rentrer en ménage.
Tu as trois beaux enfants, et jusqu'ici ils ne nous ont point
embarrassés. Ma femme et ma bru les ont soignés de leur
mieux, et les ont aimés comme elles le devaient. Voilà Petit-
Pierre quasi élevé ; il pique déjà les bœufs assez gentiment ; il
20 est assez sage pour garder les bêtes au pré, et assez fort pour
mener les chevaux à l'abreuvoir. Ce n'est donc pas celui-là qui
nous gêne : mais les deux autres, que nous aimons pourtant,
Dieu le sait, les pauvres innocents ! nous donnent cette année
beaucoup de souci. Ma bru est près d'accoucher, et elle en a
25 encore un tout petit sur les bras. Quand celui que nous attendons sera venu, elle ne pourra plus s'occuper de ta petite Solange
et surtout de ton Sylvain, qui n'a pas quatre ans et qui ne se
tient guère en repos ni le jour ni la nuit. C'est un sang vif
comme toi : ça fera un bon ouvrier, mais ça fait un terrible
30 enfant, et ma vieille ne court plus assez vite pour le rattraper
quand il se sauve du côté de la fosse, ou quand il se jette sous
les pieds des bêtes. Et puis, avec cet autre que ma bru va
mettre au monde, son avant-dernier va retomber pendant un an

au moins sur les bras de ma femme. Donc tes enfants nous inquiètent et nous surchargent. Nous n'aimons pas à voir des enfants mal soignés ; et quand on pense aux accidents qui peuvent leur arriver, faute de surveillance, on n'a pas la tête en repos. Il te faut donc une autre femme et à moi une autre bru. 5 Songes-y, mon garçon. Je t'ai déjà averti plusieurs fois, le temps se passe, les années ne t'attendront point. Tu dois à tes enfants et à nous autres, qui voulons que tout aille bien dans la maison, de te marier au plus tôt.

— Eh bien, mon père, répondit le gendre, si vous le voulez 10 absolument, il faudra donc vous contenter. Mais je ne veux pas vous cacher que cela me fera beaucoup de peine, et que je n'en ai guère plus d'envie que de me noyer. On sait qui on perd et on ne sait pas qui l'on trouve. J'avais une brave femme, une belle femme, douce, courageuse, bonne à ses père et mère, 15 bonne à son mari, bonne à ses enfants, bonne au travail, aux champs comme à la maison, adroite à l'ouvrage, bonne à tout enfin ; et quand vous me l'avez donnée, quand je l'ai prise, nous n'avions pas mis dans nos conditions que je viendrais à l'oublier si j'avais le malheur de la perdre. 20

— Ce que tu dis là est d'un bon cœur, Germain, reprit le père Maurice ; je sais que tu as aimé ma fille, que tu l'as rendue heureuse, et que si tu avais pu contenter la mort en passant à sa place, Catherine serait en vie à l'heure qu'il est, et toi dans le cimetière. Elle méritait bien d'être aimée de toi à ce point-là, 25 et si tu ne t'en consoles pas, nous ne nous en consolons pas non plus. Mais je ne te parle pas de l'oublier. Le bon Dieu a voulu qu'elle nous quittât, et nous ne passons pas un jour sans lui faire savoir par nos prières, nos pensées, nos paroles et nos actions, que nous respectons son souvenir et que nous sommes 30 fâchés de son départ. Mais si elle pouvait te parler de l'autre monde et te donner à connaître sa volonté, elle te commanderait de chercher une mère pour ses petits orphelins. Il s'agit donc de rencontrer une femme qui soit digne de la remplacer. Ce ne sera pas bien aisé : mais ce n'est pas impossible ; et quand nous 35 te l'aurons trouvée, tu l'aimeras comme tu aimais ma fille, parce

que tu es un honnête homme, et que tu lui sauras gré de nous
rendre service et d'aimer tes enfants.

— C'est bien, père Maurice, dit Germain, je ferai votre volonté comme je l'ai toujours faite.

5 — C'est une justice à te rendre, mon fils, que tu as toujours écouté l'amitié et les bonnes raisons de ton chef de famille. Avisons donc ensemble au choix de ta nouvelle femme.
D'abord je ne suis pas d'avis que tu prennes une jeunesse. Ce
n'est pas ce qu'il te faut. La jeunesse est légère ; et comme
10 c'est un fardeau d'élever trois enfants, surtout quand ils sont
d'un autre lit, il faut une bonne âme bien sage, bien douce et
très-portée au travail. Si ta femme n'a pas environ le même
âge que toi, elle n'aura pas assez de raison pour accepter un
pareil devoir. Elle te trouvera trop vieux et tes enfants trop
15 jeunes. Elle se plaindra et tes enfants pâtiront.

— Voilà justement ce qui m'inquiète, dit Germain. Si ces
pauvres petits venaient à être maltraités, haïs, battus?

— A Dieu ne plaise ! reprit le vieillard. Mais les méchantes
femmes sont plus rares dans notre pays que les bonnes, et il
20 faudrait être fou, pour ne pas mettre la main sur celle qui convient.

— C'est vrai, mon père : il y a de bonnes filles dans notre
village. Il y a la Louise, la Sylvaine, la Claudie, la Margue-
rite . . . enfin, celle que vous voudrez.

25 — Doucement, doucement, mon garçon, toutes ces filles-là
sont trop jeunes ou trop pauvres . . . ou trop jolies filles ; car,
enfin, il faut penser à cela aussi, mon fils. Une jolie femme
n'est pas toujours aussi rangée qu'une autre.

— Vous voulez donc que j'en prenne une laide ? dit Germain
30 un peu inquiet.

— Non, point laide, car cette femme te donnera d'autres enfants, et il n'y a rien de si triste que d'avoir des enfants laids,
chétifs et malsains. Mais une femme encore fraîche, d'une
bonne santé et qui ne soit ni belle ni laide, ferait très-bien ton
35 affaire.

— Je vois bien, dit Germain en souriant un peu tristement,

que, pour l'avoir telle que vous la voulez, il faudra la faire faire exprès : d'autant plus que vous ne la voulez point pauvre, et que les riches ne sont pas faciles à obtenir surtout pour un veuf.

— Et si elle était veuve elle-même, Germain ? là, une veuve 5 sans enfants et avec un bon bien ?

— Je n'en connais pas pour le moment dans notre paroisse.

— Ni moi non plus, mais il y en a ailleurs.

— Vous avez quelqu'un en vue, mon père ; alors, dites-le tout de suite. 10

IV. — GERMAIN LE FIN LABOUREUR.

— Oui, j'ai quelqu'un en vue, répondit le père Maurice. C'est une Léonard, veuve d'un Guérin, qui demeure à Fourche.

— Je ne connais ni la femme ni l'endroit, répondit Germain résigné, mais de plus en plus triste. 15

— Elle s'appelle Catherine, comme ta défunte.

— Catherine ? Oui, ça me fera plaisir d'avoir à dire ce nom-là ; Catherine ! Et pourtant, si je ne peux pas l'aimer autant que l'autre, ça me fera encore plus de peine, ça me la rappellera plus souvent. 20

— Je te dis que tu l'aimeras : c'est un bon sujet, une femme de grand cœur ; je ne l'ai pas vue depuis longtemps, elle n'était pas laide fille alors ; mais elle n'est plus jeune, elle a trente-deux ans. Elle est d'une bonne famille, tous braves gens, et elle a bien pour huit ou dix mille francs de terres, qu'elle vendrait vo- 25 lontiers pour en acheter d'autres dans l'endroit où elle s'établi-rait ; car elle songe aussi à se remarier, et je sais que, si ton caractère lui convenait, elle ne trouverait pas ta position mau-vaise.

— Vous avez donc déjà arrangé tout cela ? 30

— Oui, sauf votre avis à tous les deux ; et c'est ce qu'il fau-drait vous demander l'un à l'autre, en faisant connaissance. Le père de cette femme-là est un peu mon parent, et il a été beau-coup mon ami. Tu le connais bien, le père Léonard ?

— Oui, je l'ai vu vous parler dans les foires, et, à la dernière, vous avez déjeuné ensemble ; c'est donc de cela qu'il vous entretenait si longuement ?

— Sans doute ; il te regardait vendre tes bêtes et il trouvait
5 que tu t'y prenais bien, que tu étais un garçon de bonne mine, que tu paraissais actif et entendu ; et quand je lui eus dit tout ce que tu es et comme tu te conduis bien avec nous, depuis huit ans que nous vivons et travaillons ensemble, sans avoir jamais eu un mot de chagrin ou de colère, il s'est mis dans la tête de
10 te faire épouser sa fille ; ce qui me convient aussi, je te le confesse, d'après la bonne renommée qu'elle a, d'après l'honnêteté de sa famille et les bonnes affaires où je sais qu'ils sont.

— Je vois, père Maurice, que vous tenez un peu aux bonnes affaires.

15 — Sans doute, j'y tiens.   Est-ce que tu n'y tiens pas aussi ?

— J'y tiens si vous voulez, pour vous faire plaisir ; mais vous savez que, pour ma part, je ne m'embarrasse jamais de ce qui me revient ou de ce qui ne me revient pas dans nos profits. Je ne m'entends pas à faire des partages, et ma tête n'est pas bonne
20 pour ces choses-là.   Je connais la terre, je connais les bœufs, les chevaux, les attelages, les semences, la battaison, les fourrages.   Pour les moutons, la vigne, le jardinage, les menus profits et la culture fine, vous savez que ça regarde votre fils et que je ne m'en mêle pas beaucoup.   Quant à l'argent, ma
25 mémoire est courte, et j'aimerais mieux tout céder que de disputer sur le tien et le mien.   Je craindrais de me tromper et de réclamer ce qui ne m'est pas dû, et si les affaires n'étaient pas simples et claires, je ne m'y retrouverais jamais.

— C'est tant pis, mon fils, et voilà pourquoi j'aimerais que tu
30 eusses une femme de tête pour me remplacer quand je n'y serai plus.   Tu n'as jamais voulu voir clair dans nos comptes, et ça pourrait t'amener du désagrément avec mon fils, quand vous ne m'aurez plus pour vous mettre d'accord et vous dire ce qui vous revient à chacun.

35 — Puissiez-vous vivre longtemps, père Maurice !   Mais ne vous inquiétez pas de ce qui sera après vous ; jamais je ne me

disputerai avec votre fils. Je me fie à Jacques comme à vous-même, et comme je n'ai pas de bien à moi, que tout ce qui peut me revenir provient de votre fille et appartient à nos enfants, je peux être tranquille et vous aussi ; Jacques ne voudrait pas dépouiller les enfants de sa sœur pour les siens, puisqu'il les 5 aime quasi autant les uns que les autres.

— Tu as raison en cela, Germain. Jacques est un bon fils, un bon frère et un homme qui aime la vérité. Mais Jacques peut mourir avant toi, avant que vos enfants soient élevés, et il faut toujours songer, dans une famille, à ne pas laisser des mi-10 neurs sans un chef pour les bien conseiller et régler leurs différends. Autrement les gens de loi s'en mêlent, les brouillent ensemble et leur font tout manger en procès. Ainsi donc, nous ne devons pas penser à mettre chez nous une personne de plus, soit homme, soit femme, sans nous dire qu'un jour cette per-15 sonne-là aura peut-être à diriger la conduite et les affaires d'une trentaine d'enfants, petits-enfants, gendres et brus. . . . On ne sait pas combien une famille peut s'accroître, et quand la ruche est trop pleine, qu'il faut essaimer, chacun songe à emporter son miel. Quand je t'ai pris pour gendre, quoique ma fille fût riche20 et toi pauvre, je ne lui ai pas fait reproche de t'avoir choisi. Je te voyais bon travailleur, et je savais bien que la meilleure richesse pour des gens de campagne comme nous, c'est une paire de bras et un cœur comme les tiens. Quand un homme apporte cela dans une famille, il apporte assez. Mais une femme, c'est dif- 25 férent : son travail dans la maison est bon pour conserver, non pour acquérir. D'ailleurs, à présent que tu es père et que tu cherches femme, il faut songer que tes nouveaux enfants, n'ayant rien à prétendre dans l'héritage de ceux du premier lit, se trou-veraient dans la misère si tu venais à mourir, à moins que ta30 femme n'eût quelque bien de son côté. Et puis, les enfants dont tu vas augmenter notre colonie coûteront quelque chose à nourrir. Si cela retombait sur nous seuls, nous les nourririons, bien certainement, et sans nous en plaindre ; mais le bien-être de tout le monde en serait diminué, et les premiers enfants35 auraient leur part de privations là-dedans. Quand les familles

augmentent outre mesure sans que le bien augmente en propor-
tion, la misère vient, quelque courage qu'on y mette. Voilà mes
observations, Germain, pèse-les, et tâche de te faire agréer à la
veuve Guérin ; car sa bonne conduite et ses écus apporteront
5 ici de l'aide dans le présent et de la tranquillité pour l'avenir.

— C'est dit, mon père. Je vais tâcher de lui plaire et qu'elle
me plaise.

— Pour cela il faut la voir et aller la trouver.

— Dans son endroit ? A Fourche ? C'est loin d'ici, n'est-
10 ce pas ? et nous n'avons guère le temps de courir dans cette
saison.

— Quand il s'agit d'un mariage d'amour, il faut s'attendre à
perdre du temps ; mais quand c'est un mariage de raison entre
deux personnes qui n'ont pas de caprices et savent ce qu'elles
15 veulent, c'est bientôt décidé. C'est demain samedi ; tu feras ta
journée de labour un peu courte, tu partiras vers les deux heures
après dîner ; tu seras à Fourche à la nuit ; la lune est grande
dans ce moment-ci, les chemins sont bons, et il n'y a pas plus
de trois lieues de pays. C'est près du Magnier. D'ailleurs tu
20 prendras la jument.

— J'aimerais autant aller à pied, par ce temps frais.

— Oui, mais la jument est belle, et un prétendu qui arrive
aussi bien monté a meilleur air. Tu mettras tes habits neufs, et
tu porteras un joli présent de gibier au père Léonard. Tu
25 arriveras de ma part, tu causeras avec lui, tu passeras la journée
du dimanche avec sa fille, et tu reviendras avec un oui ou un
non lundi matin.

— C'est entendu, répondit tranquillement Germain ; et pourtant il n'était pas tout à fait tranquille.

30   Germain avait toujours vécu sagement comme vivent les
paysans laborieux. Marié à vingt ans, il n'avait aimé qu'une
femme dans sa vie, et, depuis son veuvage, quoiqu'il fût d'un
caractère impétueux et enjoué, il n'avait ri et folâtré avec aucune
autre. Il avait porté fidèlement un véritable regret dans son
35 cœur, et ce n'était pas sans crainte et sans tristesse qu'il cédait
à son beau-père ; mais le beau-père avait toujours gouverné sage-

ment la famille, et Germain, qui s'était dévoué tout entier à l'œuvre commune, et, par conséquent, à celui qui la personnifiait, au père de famille, Germain ne comprenait pas qu'il eût pu se révolter contre de bonnes raisons, contre l'intérêt de tous.

Néanmoins il était triste. Il se passait peu de jours qu'il ne 5 pleurât sa femme en secret, et, quoique la solitude commençât à lui peser, il était plus effrayé de former une union nouvelle que désireux de se soustraire à son chagrin. Il se disait vaguement que l'amour eût pu le consoler, en venant le surprendre, car l'amour ne console pas autrement. On ne le trouve pas quand 10 on le cherche ; il vient à nous quand nous ne l'attendons pas. Ce froid projet de mariage que lui montrait le père Maurice, cette fiancée inconnue, peut-être même tout ce bien qu'on lui disait de sa raison et de sa vertu, lui donnaient à penser. Et il s'en allait, songeant, comme songent les hommes qui n'ont pas 15 assez d'idées pour qu'elles se combattent entre elles, c'est-à-dire ne se formulant pas à lui-même de belles raisons de résistance et d'égoïsme, mais souffrant d'une douleur sourde, et ne luttant pas contre un mal qu'il fallait accepter.

Cependant le père Maurice était rentré à la métairie, tandis 20 que Germain, entre le coucher du soleil et la nuit, occupait la dernière heure du jour à fermer les brèches que les moutons avaient faites à la bordure d'un enclos voisin des bâtiments. Il relevait les tiges d'épine et les soutenait avec des mottes de terre, tandis que les grives babillaient dans le buisson voisin et 25 semblaient lui crier de se hâter, curieuses qu'elles étaient de venir examiner son ouvrage aussitôt qu'il serait parti.

V. — LA GUILLETTE.

Le père Maurice trouva chez lui une vieille voisine qui était venue causer avec sa femme tout en cherchant de la braise pour 30 allumer son feu. La mère Guillette habitait une chaumière fort pauvre à deux portées de fusil de la ferme. Mais c'était une femme d'ordre et de volonté. Sa pauvre maison était propre et

bien tenue, et ses vêtements rapiécés avec soin annonçaient le
respect de soi-même au milieu de la détresse.

— Vous êtes venue chercher le feu du soir, mère Guillette, lui
dit le vieillard. Voulez-vous quelque autre chose?

5   — Non, père Maurice, répondit-elle ; rien pour le moment.
Je ne suis pas quémandeuse, vous le savez, et je n'abuse pas de
la bonté de mes amis.

— C'est la vérité ; aussi vos amis sont toujours prêts à vous
rendre service.

10 — J'étais en train de causer avec votre femme, et je lui demandais si Germain se décidait enfin à se remarier.

— Vous n'êtes point une bavarde, répondit le père Maurice,
on peut parler devant vous sans craindre les propos : ainsi je
dirai à ma femme et à vous que Germain est tout à fait décidé ;
15 il part demain pour le domaine de Fourche.

— A la bonne heure ! s'écria la mère Maurice ; ce pauvre
enfant ! Dieu veuille qu'il trouve une femme aussi bonne et
aussi brave que lui !

— Ah ! il va à Fourche? observa la Guillette. Voyez comme
20 ça se trouve ! cela m'arrange beaucoup, et puisque vous me
demandiez tout à l'heure si je désirais quelque chose, je vas
vous dire, père Maurice, en quoi vous pouvez m'obliger.

— Dites, dites, vous obliger, nous le voulons.

— Je voudrais que Germain prît la peine d'emmener ma fille
25 avec lui.

— Où donc? à Fourche?

— Non pas à Fourche ; mais aux Ormeaux, où elle va demeurer le reste de l'année.

— Comment ! dit la mère Maurice, vous vous séparez de
30 votre fille?

— Il faut bien qu'elle entre en condition et qu'elle gagne
quelque chose. Ça me fait assez de peine et à elle aussi, la
pauvre âme ! Nous n'avons pas pu nous décider à nous quitter
à l'époque de la Saint-Jean ; mais voilà que la Saint-Martin
35 arrive, et qu'elle trouve une bonne place de bergère dans les
fermes des Ormeaux. Le fermier passait l'autre jour par ici en

revenant de la foire. Il vit ma petite Marie qui gardait ses trois moutons sur le communal. "Vous n'êtes guère occupée, ma petite fille, qu'il lui dit ; et trois moutons pour une *pastoure*, ce n'est guère. Voulez-vous en garder cent? je vous emmène. La bergère de chez nous est tombée malade, elle retourne chez 5 ses parents, et si vous voulez être chez nous avant huit jours, vous aurez cinquante francs pour le reste de l'année jusqu'à la Saint-Jean." L'enfant a refusé, mais elle n'a pu se défendre d'y songer et de me le dire lorsqu'en rentrant le soir elle m'a vue triste et embarrassée de passer l'hiver, qui va être rude et 10 long, puisqu'on a vu, cette année, les grues et les oies sauvages traverser les airs un grand mois plus tôt que de coutume. Nous avons pleuré toutes deux ; mais enfin le courage est venu. Nous nous sommes dit que nous ne pouvions pas rester ensemble, puisqu'il y a à peine de quoi faire vivre une seule personne sur 15 notre lopin de terre ; et puisque Marie est en âge (la voilà qui prend seize ans), il faut bien qu'elle fasse comme les autres, qu'elle gagne son pain et qu'elle aide sa pauvre mère.

— Mère Guillette, dit le vieux laboureur, s'il ne fallait que cinquante francs pour vous consoler de vos peines et vous dis- 20 penser d'envoyer votre enfant au loin, vrai, je vous les ferais trouver, quoique cinquante francs pour des gens comme nous ça commence à peser. Mais en toutes choses il faut consulter la raison autant que l'amitié. Pour être sauvée de la misère de cet hiver, vous ne le serez pas de la misère à venir, et plus votre 25 fille tardera à prendre un parti, plus elle et vous aurez de peine à vous quitter. La petite Marie se fait grande et forte, et elle n'a pas de quoi s'occuper chez vous. Elle pourrait y prendre l'habitude de la fainéantise. . . .

— Oh ! pour cela je ne le crains pas, dit la Guillette. Marie 30 est courageuse autant que fille riche et à la tête d'un gros travail puisse l'être. Elle ne reste pas un instant les bras croisés, et quand nous n'avons pas d'ouvrage elle nettoie et frotte nos pauvres meubles qu'elle rend clairs comme des miroirs. C'est une enfant qui vaut son pesant d'or, et j'aurais bien mieux aimé 35 qu'elle entrât chez vous comme bergère que d'aller si loin chez

des gens que je ne connais pas.   Vous l'auriez prise à la Saint-
Jean, si nous avions su nous décider ; mais à présent vous avez
loué tout votre monde, et ce n'est qu'à la Saint-Jean de l'autre
année que nous pourrons y songer.

5   — Eh ! j'y consens de tout mon cœur, Guillette !   Cela me
fera plaisir.   Mais en attendant, elle fera bien d'apprendre un
état et de s'habituer à servir les autres.

— Oui, sans doute ; le sort en est jeté.   Le fermier des Ormeaux l'a fait demander ce matin ; nous avons dit oui, et il faut
10 qu'elle parte.   Mais la pauvre enfant ne sait pas le chemin, et
je n'aimerais pas à l'envoyer si loin toute seule.   Puisque votre
gendre va à Fourche demain, il peut bien l'emmener.   Il paraît
que c'est tout à côté du domaine où elle va, à ce qu'on m'a dit ;
car je n'ai jamais fait ce voyage-là.

15   — C'est tout à côté, et mon gendre la conduira.   Cela se
doit ; il pourra même la prendre en croupe sur la jument, ce
qui ménagera ses souliers.   Le voilà qui rentre pour souper.
Dis-moi, Germain, la petite Marie à la mère Guillette s'en va
bergère aux Ormeaux.   Tu la conduiras sur ton cheval, n'est-ce
20 pas ?

— C'est bien, répondit Germain qui était soucieux, mais toujours disposé à rendre service à son prochain.

Dans notre monde à nous, pareille chose ne viendrait pas à la
pensée d'une mère, de confier une fille de seize ans à un homme
25 de vingt-huit ! car Germain n'avait réellement que vingt-huit
ans, et quoique, selon les idées de son pays, il passât pour vieux
au point de vue du mariage, il était encore le plus bel homme
de l'endroit.   Le travail ne l'avait pas creusé et flétri comme la
plupart des paysans qui ont dix années de labourage sur la tête.
30 Il était de force à labourer encore dix ans sans paraître vieux, et
il eût fallu que le préjugé de l'âge fût bien fort sur l'esprit d'une
jeune fille pour l'empêcher de voir que Germain avait le teint
frais, l'œil vif et bleu comme le ciel de mai, la bouche rose, des
dents superbes, le corps élégant et souple comme celui d'un
35 jeune cheval qui n'a pas encore quitté le pré.

Mais la chasteté des mœurs est une tradition sacrée dans

certaines campagnes éloignées du mouvement corrompu des grandes villes, et, entre toutes les familles de Belair, la famille de Maurice était réputée honnête et servant la vérité. Germain s'en allait chercher femme ; Marie était une enfant trop jeune et trop pauvre pour qu'il y songeât dans cette vue, et, à moins 5 d'être un *sans cœur* et un *mauvais homme,* il était impossible qu'il eût une coupable pensée auprès d'elle. Le père Maurice ne fut donc nullement inquiet de lui voir prendre en croupe cette jolie fille ; la Guillette eût cru lui faire injure si elle lui eût recommandé de la respecter comme sa sœur ; Marie monta sur 10 la jument en pleurant, après avoir vingt fois embrassé sa mère et ses jeunes amies. Germain, qui était triste pour son compte, compatissait d'autant plus à son chagrin, et s'en alla d'un air sérieux, tandis que les gens du voisinage disaient adieu de la main à la pauvre Marie sans songer à mal. 15

VI. — PETIT–PIERRE.

La Grise était jeune, belle et vigoureuse. Elle portait sans effort son double fardeau, couchant les oreilles et rongeant son frein, comme une fière et ardente jument qu'elle était. En passant devant le pré-long, elle aperçut sa mère, qui s'appelait la vieille 20 Grise, comme elle la jeune Grise, et elle hennit en signe d'adieu. La vieille Grise approcha de la haie en faisant résonner ses enferges, essaya de galoper sur la marge du pré pour suivre sa fille ; puis, la voyant prendre le grand trot, elle hennit à son tour, et resta pensive, inquiète, le nez au vent, la bouche pleine d'herbes 25 qu'elle ne songeait plus à manger.

— Cette pauvre bête connaît toujours sa progéniture, dit Germain pour distraire la petite Marie de son chagrin. Ça me fait penser que je n'ai pas embrassé mon Petit-Pierre avant de partir. Le mauvais enfant n'était pas là ! Il voulait, hier au soir, 30 me faire promettre de l'emmener, et il a pleuré pendant une heure dans son lit. Ce matin, encore, il a tout essayé pour me persuader. Oh ! qu'il est adroit et câlin ! mais quand il a vu que ça ne se pouvait pas, monsieur s'est fâché : il est parti dans les champs, et je ne l'ai pas revu de la journèe.

— Moi, je l'ai vu, dit la petite Marie en faisant effort pour rentrer ses larmes. Il courait avec les enfants de Soulas du
5 côté des tailles, et je me suis bien doutée qu'il était hors de la maison depuis longtemps, car il avait faim et mangeait des prunelles et des mûres de buisson. Je lui ai donné le pain de mon goûter, et il m'a dit : Merci, ma Marie mignonne : quand tu viendras chez nous, je te donnerai de la galette. C'est un enfant
10 trop gentil que vous avez là, Germain !

— Oui, qu'il est gentil, reprit le laboureur, et je ne sais pas ce que je ne ferais pas pour lui ! Si sa grand'mère n'avait pas eu plus de raison que moi, je n'aurais pas pu me tenir de l'emmener, quand je le voyais pleurer si fort que son pauvre petit
15 cœur en était tout gonflé.

— Eh bien ! pourquoi ne l'auriez-vous pas emmené, Germain ? Il ne vous aurait guère embarrassé ; il est si raisonnable quand on fait sa volonté !

— Il paraît qu'il aurait été de trop là où je vais. Du moins
20 c'était l'avis du père Maurice. . . . Moi, pourtant, j'aurais pensé qu'au contraire il fallait voir comment on le recevrait, et qu'un si gentil enfant ne pouvait qu'être pris en bonne amitié. . . . Mais ils disent à la maison qu'il ne faut pas commencer par faire voir les charges du ménage. . . . Je ne sais
25 pas pourquoi je te parle de ça, petite Marie : tu n'y comprends rien.

— Si fait, Germain ; je sais que vous allez pour vous marier ; ma mère me l'a dit, en me recommandant de n'en parler à personne, ni chez nous, ni là où je vais, et vous pouvez être tran-
30 quille : je n'en dirai mot.

— Tu feras bien, car ce n'est pas fait ; peut-être que je ne conviendrai pas à la femme en question.

— Il faut espérer que si, Germain. Pourquoi donc ne lui conviendriez-vous pas ?

35 — Qui sait ? J'ai trois enfants, et c'est lourd pour une femme qui n'est pas leur mère !

— C'est vrai, mais vos enfants ne sont pas comme d'autres enfants.

— Crois-tu ?

— Ils sont beaux comme des petits anges, et si bien élevés qu'on n'en peut pas voir de plus aimables.   5

— Il y a Sylvain qui n'est pas trop commode.

— Il est tout petit ! il ne peut pas être autrement que terrible, mais il a tant d'esprit !

— C'est vrai qu'il a de l'esprit : et un courage ! Il ne craint ni vaches, ni taureaux, et si on le laissait faire, il grimperait déjà 10 sur les chevaux avec son aîné.

— Moi, à votre place, j'aurais amené l'aîné. Bien sûr ça vous aurait fait aimer tout de suite, d'avoir un enfant si beau !

— Oui, si la femme aime les enfants ; mais si elle ne les aime pas !   15

— Est-ce qu'il y a des femmes qui n'aiment pas les enfants ?

— Pas beaucoup, je pense ; mais enfin il y en a, et c'est là ce qui me tourmente.

— Vous ne la connaissez donc pas du tout cette femme ?

— Pas plus que toi, et je crains de ne pas la mieux connaître, 20 après que je l'aurai vue. Je ne suis pas méfiant, moi. Quand on me dit de bonnes paroles, j'y crois : mais j'ai été plus d'une fois à même de m'en repentir, car les paroles ne sont pas des actions.

— On dit que c'est une fort brave femme.   25

— Qui dit cela ? le père Maurice !

— Oui, votre beau-père.

— C'est fort bien ; mais il ne la connaît pas non plus.

— Eh bien, vous la verrez tantôt, vous ferez grande attention, et il faut espérer que vous ne vous tromperez pas, Germain.   30

— Tiens, petite Marie, je serais bien aise que tu entres un peu dans la maison, avant de t'en aller tout droit aux Ormeaux : tu es fine, toi, tu as toujours montré de l'esprit, et tu fais attention à tout. Si tu vois quelque chose qui te donne à penser, tu m'en avertiras tout doucement.   35

— Oh ! non, Germain, je ne ferai pas cela ! je craindrais trop de me tromper; et, d'ailleurs, si une parole dite à la légère venait à vous dégoûter de ce mariage, vos parents m'en voudraient, et j'ai bien assez de chagrins comme ça, sans en attirer d'autres sur ma pauvre chère femme de mère.

5 Comme ils devisaient ainsi, la Grise fit un écart en dressant les oreilles, puis revint sur ses pas, et se rapprocha du buisson, où quelque chose qu'elle commençait à reconnaître l'avait d'abord effrayée. Germain jeta un regard sur le buisson, et vit dans le fossé, sous les branches épaisses et encore fraîches 10 d'un têteau de chêne, quelque chose qu'il prit pour un agneau.

— C'est une bête égarée, dit-il, ou morte, car elle ne bouge. Peut-être que quelqu'un la cherche; il faut voir!

— Ce n'est pas une bête, s'écria la petite Marie: c'est un enfant qui dort; c'est votre Petit-Pierre.

15 — Par exemple! dit Germain en descendant de cheval: voyez ce petit garnement qui dort là, si loin de la maison, et dans un fossé où quelque serpent pourrait bien le trouver!

Il prit dans ses bras l'enfant, qui lui sourit en ouvrant les yeux et jeta ses bras autour de son cou, en lui disant: Mon petit père, 20 tu vas m'emmener avec toi!

— Ah oui! toujours la même chanson! Que faisiez-vous là, mauvais Pierre?

— J'attendais mon petit père à passer, dit l'enfant; je regardais sur le chemin, et à force de regarder, je me suis endormi.

25 — Et si j'étais passé sans te voir, tu serais resté toute la nuit dehors, et le loup t'aurait mangé!

— Oh! je savais bien que tu me verrais! répondit Petit-Pierre avec confiance.

— Eh bien, à présent, mon Pierre, embrasse-moi, dis-moi 30 adieu, et retourne vite à la maison, si tu ne veux pas qu'on soupe sans toi.

— Tu ne veux donc pas m'emmener? s'écria le petit en commençant à frotter ses yeux pour montrer qu'il avait dessein de pleurer.

35 — Tu sais bien que grand-père et grand'mère ne le veulent pas, dit Germain, se retranchant derrière l'autorité des vieux

parents, comme un homme qui ne compte guère sur la sienne propre.

Mais l'enfant n'entendit rien. Il se prit à pleurer tout de bon, disant que puisque son père emmenait la petite Marie, il pouvait bien l'emmener aussi. On lui objecta qu'il fallait passer les 5 grands bois, qu'il y avait là beaucoup de méchantes bêtes qui mangeaient les petits enfants, que la Grise ne voulait pas porter trois personnes, qu'elle l'avait déclaré en partant, et que dans le pays où l'on se rendait, il n'y avait ni lit ni souper pour les marmots. Toutes ces excellentes raisons ne per- 10 suadèrent point Petit-Pierre ; il se jeta sur l'herbe, et s'y roula, en criant que son petit père ne l'aimait plus, et que s'il ne l'emmenait pas, il ne rentrerait point du jour ni de la nuit à la maison.

Germain avait un cœur de père aussi tendre et aussi faible 15 que celui d'une femme. La mort de la sienne, les soins qu'il avait été forcé de rendre seul à ses petits, aussi la pensée que ces pauvres enfants sans mère avaient besoin d'être beaucoup aimés, avaient contribué à le rendre ainsi, et il se fit en lui un si rude combat, d'autant plus qu'il rougissait de sa faiblesse et s'ef- 20 forçait de cacher son malaise à la petite Marie, que la sueur lui en vint au front et que ses yeux se bordèrent de rouge, prêts à pleurer aussi. Enfin il essaya de se mettre en colère ; mais, en se retournant vers la petite Marie, comme pour la prendre à témoin de sa fermeté d'âme, il vit que le visage de cette bonne 25 fille était baigné de larmes, et tout son courage l'abandonnant, il lui fut impossible de retenir les siennes, bien qu'il grondât et menaçât encore.

— Vrai, vous avez le cœur trop dur, lui dit enfin la petite Marie, et, pour ma part, je ne pourrai jamais résister comme 30 cela à un enfant qui a un si gros chagrin. Voyons, Germain, emmenez-le. Votre jument est bien habituée à porter deux personnes et un enfant, à preuve que votre beau-frère et sa femme, qui est plus lourde que moi de beaucoup, vont au marché le samedi avec leur garçon, sur le dos de cette bonne 35 bête. Vous le mettrez à cheval devant vous, et d'ailleurs j'aime mieux m'en aller toute seule à pied que de faire de la peine à ce petit.

— Qu'à cela ne tienne, répondit Germain, qui mourait d'envie de se laisser convaincre. La Grise est forte et en porterait deux 5 de plus, s'il y avait place sur son échine. Mais que ferons-nous de cet enfant en route ? il aura froid, il aura faim . . . et qui prendra soin de lui ce soir et demain pour le coucher, le laver et le rhabiller ? Je n'ose pas donner cet ennui-là à une femme que je ne connais pas, et qui trouvera, sans doute, que je suis 10 bien sans façons avec elle pour commencer.

— D'après l'amitié ou l'ennui qu'elle montrera, vous la connaîtrez tout de suite, Germain, croyez-moi ; et d'ailleurs, si elle rebute votre Pierre, moi je m'en charge. J'irai chez elle l'habiller et je l'emmènerai aux champs demain. Je l'amuserai toute 15 la journée et j'aurai soin qu'il ne manque de rien.

— Et il t'ennuiera, ma pauvre fille ! Il te gênera ! toute une journée, c'est long !

— Ça me fera plaisir, au contraire, ça me tiendra compagnie, et ça me rendra moins triste le premier jour que j'aurai à passer 20 dans un nouveau pays. Je me figurerai que je suis encore chez nous.

L'enfant, voyant que la petite Marie prenait son parti, s'était cramponné à sa jupe et la tenait si fort qu'il eût fallu lui faire du mal pour l'en arracher. Quand il reconnut que son père cédait, 25 il prit la main de Marie dans ses deux petites mains brunies par le soleil, et l'embrassa en sautant de joie et en la tirant vers la jument, avec cette impatience ardente que les enfants portent dans leurs désirs.

— Allons, allons, dit la jeune fille, en le soulevant dans ses 30 bras, tâchons d'apaiser ce pauvre cœur qui saute comme un petit oiseau, et si tu sens le froid quand la nuit viendra, dis-lemoi, mon Pierre, je te serrerai dans ma cape. Embrasse ton petit père, et demande-lui pardon d'avoir fait le méchant. Dis que ça ne t'arrivera plus, jamais ! jamais, entends-tu ?

35 — Oui, oui, à condition que je ferai toujours sa volonté, n'est-ce pas ? dit Germain en essuyant les yeux du petit avec son

mouchoir : ah ! Marie, vous me le gâtez, ce drôle-là ! . . . Et vraiment, tu es une trop bonne fille, petite Marie. Je ne sais pas pourquoi tu n'es pas entrée bergère chez nous à la Saint-Jean dernière. Tu aurais pris soin de mes enfants, et j'aurais mieux aimé te payer un bon prix pour les servir, que d'aller 5 chercher une femme qui croira peut-être me faire beaucoup de grâce en ne les détestant pas.

— Il ne faut pas voir comme ça les choses par le mauvais côté, répondit la petite Marie, en tenant la bride du cheval pendant que Germain plaçait son fils sur le devant du large bât garni 10 de peau de chèvre : si votre femme n'aime pas les enfants, vous me prendrez à votre service l'an prochain, et, soyez tranquille, je les amuserai si bien qu'ils ne s'apercevront de rien.

VII. — DANS LA LANDE.

— Ah ça, dit Germain, lorsqu'ils eurent fait quelques pas, que 15 va-t-on penser à la maison en ne voyant pas rentrer ce petit bonhomme ? Les parents vont être inquiets et le chercheront partout.

— Vous allez dire au cantonnier qui travaille là-haut sur la route, que vous l'emmenez, et vous lui recommanderez d'avertir 20 votre monde.

— C'est vrai, Marie, tu t'avises de tout, toi ! moi, je ne pensais plus que Jeannie devait être par là.

— Et justement, il demeure tout près de la métairie ; il ne manquera pas de faire la commission.   25

Quand on eut avisé à cette précaution, Germain remit la jument au trot, et Petit-Pierre était si joyeux, qu'il ne s'aperçut pas tout de suite qu'il n'avait pas dîné ; mais le mouvement du cheval lui creusant l'estomac, il se prit, au bout d'une lieue, à bâiller, à pâlir, et à confesser qu'il mourait de faim.   30

— Voilà que ça commence, dit Germain. Je savais bien que nous n'irions pas loin sans que ce monsieur criât la faim ou la soif.

— J'ai soif aussi ! dit Petit-Pierre.

— Eh bien ! nous allons donc entrer dans le cabaret de la mère Rebec, à Corlay, au *Point du Jour*. Belle enseigne, mais pauvre gîte ! Allons, Marie, tu boiras aussi un doigt de vin.

5   — Non, non, je n'ai besoin de rien, dit-elle, je tiendrai la jument pendant que vous entrerez avec le petit.

— Mais j'y songe, ma bonne fille, tu as donné ce matin le pain de ton goûter à mon Pierre, et toi tu es à jeun ; tu n'as pas voulu dîner avec nous à la maison, tu ne faisais que pleurer.

10   — Oh ! je n'avais pas faim, j'avais trop de peine ! et je vous jure qu'à présent encore je ne sens aucune envie de manger.

— Il faut te forcer, petite ; autrement tu seras malade. Nous avons du chemin à faire, et il ne faut pas arriver là-bas comme des affamés pour demander du pain avant de dire bonjour.

15 Moi-même je veux te donner l'exemple, quoique je n'aie pas grand appétit ; mais j'en viendrai à bout, vu que, après tout, je n'ai pas dîné non plus. Je vous voyais pleurer, toi et ta mère, et ça me troublait le cœur. Allons, allons, je vais attacher la Grise à la porte ; descends, je le veux.

20   Ils entrèrent tous trois chez la Rebec, et, en moins d'un quart d'heure, la grosse boiteuse réussit à leur servir une omelette de bonne mine, du pain bis et du vin clairet.

Les paysans ne mangent pas vite, et le petit Pierre avait si grand appétit qu'il se passa bien une heure avant que Germain 25 pût songer à se remettre en route. La petite Marie avait mangé par complaisance d'abord ; puis, peu à peu, la faim était venue : car à seize ans on ne peut pas faire longtemps diète, et l'air des campagnes est impérieux. Les bonnes paroles que Germain sut lui dire pour la consoler et lui faire prendre courage produisirent 30 aussi leur effet ; elle fit effort pour se persuader que sept mois seraient bientôt passés, et pour songer au bonheur qu'elle aurait de se retrouver dans sa famille et dans son hameau, puisque le père Maurice et Germain s'accordaient pour lui promettre de la prendre à leur service. Mais comme elle commençait à s'égayer 35 et à badiner avec le petit Pierre, Germain eut la malheureuse idée de lui faire regarder, par la fenêtre du cabaret, la belle vue de la vallée qu'on voit tout entière de cette hauteur, et qui est si riante, si verte et si fertile. Marie regarda et demanda si de là on voyait les maisons de Belair.

— Sans doute, dit Germain, et la métairie, et même ta maison. Tiens, ce petit point gris, pas loin du grand peuplier à Godard, 5 plus bas que le clocher.

— Ah ! je la vois, dit la petite ; et là-dessus elle recommença de pleurer.

— J'ai eu tort de te faire songer à ça, dit Germain, je ne fais que des bêtises aujourd'hui ! Allons, Marie, partons, ma fille ; 10 les jours sont courts, et dans une heure, quand la lune montera, il ne fera pas chaud.

Ils se remirent en route, traversèrent la grande *brande*, et comme, pour ne pas fatiguer la jeune fille et l'enfant par un trop grand trot, Germain ne pouvait faire aller la Grise bien vite, le 15 soleil était couché quand ils quittèrent la route pour gagner les bois.

Germain connaissait le chemin jusqu'au Magnier ; mais il pensa qu'il aurait plus court en ne prenant pas l'avenue de Chanteloube, mais en descendant par Presles et la Sépulture, 20 direction qu'il n'avait pas l'habitude de prendre quand il allait à la foire. Il se trompa et perdit encore un peu de temps avant d'entrer dans le bois ; encore n'y entra-t-il point par le bon côté, et il ne s'en aperçut pas, si bien qu'il tourna le dos à Fourche et gagna beaucoup plus haut du côté d'Ardente. 25

Ce qui l'empêchait alors de s'orienter, c'était un brouillard qui s'élevait avec la nuit, un de ces brouillards des soirs d'automne, que la blancheur du clair de lune rend plus vagues et plus trompeurs encore. Les grandes flaques d'eau dont les clairières sont semées exhalaient des vapeurs si épaisses que, 30 lorsque la Grise les traversait, on ne s'en apercevait qu'au clapotement de ses pieds et à la peine qu'elle avait à les tirer de la vase.

Quand on eut enfin trouvé une belle allée bien droite, et qu'arrivé au bout, Germain chercha à voir où il était, il s'aperçut 35 bien qu'il s'était perdu ; car le père Maurice, en lui expliquant

MARIN UNION
JUNIOR COLLEGE

son chemin, lui avait dit qu'à la sortie des bois il aurait à descendre un bout de côte très raide, à traverser une immense prairie et à passer deux fois la rivière à gué. Il lui avait même recommandé d'entrer dans cette rivière avec précaution, parce 5 qu'au commencement de la saison il y avait eu de grandes pluies et que l'eau pouvait être un peu haute. Ne voyant ni descente, ni prairie, ni rivière, mais la lande unie et blanche comme une nappe de neige, Germain s'arrêta, chercha une maison, attendit un passant, et ne trouva rien qui pût le renseigner. Alors il 10 revint sur ses pas et rentra dans les bois. Mais le brouillard s'épaissit encore plus, la lune fut tout à fait voilée, les chemins étaient affreux, les fondrières profondes. Par deux fois, la Grise faillit s'abattre ; chargée comme elle l'était, elle perdait courage, et, si elle conservait assez de discernement pour ne pas se heur- 15 ter contre les arbres, elle ne pouvait empêcher que ceux qui la montaient n'eussent affaire à de grosses branches, qui barraient le chemin à la hauteur de leurs têtes et qui les mettaient fort en danger. Germain perdit son chapeau dans une de ces rencon- tres et eut grand'peine à le retrouver. Petit-Pierre s'était en- 20 dormi, et, se laissant aller comme un sac, il embarrassait tellement les bras de son père, que celui-ci ne pouvait plus ni soutenir ni diriger le cheval.

— Je crois que nous sommes ensorcelés, dit Germain en s'ar- rêtant : car ces bois ne sont pas assez grands pour qu'on s'y 25 perde, à moins d'être ivre, et il y a deux heures au moins que nous y tournons sans pouvoir en sortir. La Grise n'a qu'une idée en tête, c'est de s'en retourner à la maison, et c'est elle qui me fait tromper. Si nous voulons nous en aller chez nous, nous n'avons qu'à la laisser faire. Mais quand nous sommes peut- 30 être à deux pas de l'endroit où nous devons coucher, il faudrait être fou pour y renoncer et recommencer une si longue route. Cependant, je ne sais plus que faire. Je ne vois ni ciel ni terre, et je crains que cet enfant-là ne prenne la fièvre si nous restons dans ce damné brouillard, ou qu'il ne soit écrasé par notre poids 35 si le cheval vient à s'abattre en avant.

— Il ne faut pas nous obstiner davantage, dit la petite Marie.

Descendons, Germain ; donnez-moi l'enfant, je le porterai fort
bien, et j'empêcherai mieux que vous que la cape, se dérangeant,
ne le laisse à découvert. Vous conduirez la jument par la bride,
et nous verrons peut-être plus clair quand nous serons plus près
de terre.   5

Ce moyen ne réussit qu'à les préserver d'une chute de cheval,
car le brouillard rampait et semblait se coller à la terre humide.
La marche était pénible, et ils furent bientôt si harassés qu'ils
s'arrêtèrent en rencontrant enfin un endroit sec sous de grands
chênes. La petite Marie était en nage, mais elle ne se plaignait 10
ni ne s'inquiétait de rien. Occupée seulement de l'enfant, elle
s'assit sur le sable et le coucha sur ses genoux, tandis que Germain explorait les environs, après avoir passé les rênes de la
Grise dans une branche d'arbre.

Mais la Grise, qui s'ennuyait fort de ce voyage, donna un coup 15
de reins, dégagea les rênes, rompit les sangles, et lâchant, par
manière d'acquit, une demi-douzaine de ruades plus haut que sa
tête, partit à travers les taillis, montrant fort bien qu'elle n'avait
besoin de personne pour retrouver son chemin.

—Çà, dit Germain, après avoir vainement cherché à la rat- 20
traper, nous voici à pied, et rien ne nous servirait de nous trouver
dans le bon chemin, car il nous faudrait traverser la rivière à
pied ; et à voir comme ces routes sont pleines d'eau, nous pouvons être sûrs que la prairie est sous la rivière. Nous ne con-
naissons pas les autres passages. Il nous faut donc attendre que 25
ce brouillard se dissipe ; ça ne peut pas durer plus d'une heure
ou deux. Quand nous verrons clair, nous chercherons une maison, la première venue à la lisière du bois ; mais à présent nous
ne pouvons sortir d'ici ; il y a là une fosse, un étang, je ne sais
quoi devant nous ; et derrière, je ne saurais pas non plus dire 30
ce qu'il y a, car je ne comprends plus par quel côté nous sommes
arrivés.

VIII. — SOUS LES GRANDS CHÊNES.

— Eh bien ! prenons patience, Germain, dit la petite Marie. Nous ne sommes pas mal sur cette petite hauteur. La pluie ne perce pas la feuillée de ces gros chênes, et nous pouvons allumer 5 du feu, car je sens de vieilles souches qui ne tiennent à rien et qui sont assez sèches pour flamber. Vous avez bien du feu, Germain ? Vous fumiez votre pipe tantôt.

— J'en avais ! mon briquet était sur le bât dans mon sac, avec le gibier que je portais à ma future ; mais la maudite jument a 10 tout emporté, même mon manteau, qu'elle va perdre et déchirer à toutes les branches.

— Non pas, Germain ; la bâtine, le manteau, le sac, tout est là par terre, à vos pieds. La Grise a cassé les sangles et tout jeté à côté d'elle en partant.

15 — C'est, vrai Dieu, certain ! dit le laboureur ; et si nous pouvons trouver un peu de bois mort à tâtons, nous réussirons à nous sécher et à nous réchauffer.

— Ce n'est pas difficile, dit la petite Marie, le bois mort craque partout sous les pieds : mais donnez-moi d'abord ici la 20 bâtine.

— Qu'en veux-tu faire ?

— Un lit pour le petit : non, pas comme ça, à l'envers ; il ne roulera pas dans la ruelle ; et c'est encore tout chaud du dos de la bête. Calez-moi ça de chaque côté avec ces pierres que vous 25 voyez là !

— Je ne les vois pas, moi ! Tu as donc des yeux de chat !

— Tenez ! voilà qui est fait, Germain ! Donnez-moi votre manteau, que j'enveloppe ses petits pieds, et ma cape par-dessus son corps. Voyez ! s'il n'est pas couché là aussi bien que dans 30 son lit ! et tâtez-le comme il a chaud !

— C'est vrai ! tu t'entends à soigner les enfants, Marie !

— Ce n'est pas bien sorcier. A présent, cherchez votre briquet dans votre sac, et je vais arranger le bois.

— Ce bois ne prendra jamais, il est trop humide.

— Vous doutez de tout, Germain ! vous ne vous souvenez donc pas d'avoir été pâtour et d'avoir fait de grands feux aux champs, au beau milieu de la pluie ?

— Oui, c'est le talent des enfants qui gardent les bêtes, mais moi j'ai été toucheur de bœufs aussitôt que j'ai su marcher.   5

— C'est pour cela que vous êtes plus fort de vos bras qu'adroit de vos mains. Le voilà bâti ce bûcher, vous allez voir s'il ne flambera pas ! Donnez-moi le feu et une poignée de fougère sèche. C'est bien ! soufflez à présent ; vous n'êtes pas poumonique ?   10

— Non pas que je sache, dit Germain en soufflant comme un soufflet de forge. Au bout d'un instant, la flamme brilla, jeta d'abord une lumière rouge, et finit par s'élever en jets bleuâtres sous le feuillage des chênes, luttant contre la brume et séchant peu à peu l'atmosphère à dix pieds à la ronde.   15

— Maintenant, je vais m'asseoir auprès du petit pour qu'il ne lui tombe pas d'étincelles sur le corps, dit la jeune fille. Vous, mettez du bois et animez le feu, Germain ! nous n'attraperons ici ni fièvre ni rhume, je vous en réponds.

— Ma foi, tu es une fille d'esprit, dit Germain, et tu sais faire 20 le feu comme une petite sorcière de nuit. Je me sens tout ranimé, et le cœur me revient ; car avec les jambes mouillées jusqu'aux genoux, et l'idée de rester comme cela jusqu'au point du jour, j'étais de fort mauvaise humeur tout à l'heure.

— Et quand on est de mauvaise humeur, on ne s'avise de rien, 25 reprit la petite Marie.

— Et tu n'es donc jamais de mauvaise humeur, toi ?

— Eh non ! jamais. A quoi bon ?

— Oh ! ce n'est bon à rien, certainement ; mais le moyen de s'en empêcher, quand on a des ennuis ! Dieu sait que tu n'en 30 as pas manqué, toi, pourtant, ma pauvre petite : car tu n'as pas toujours été heureuse !

— C'est vrai, nous avons souffert, ma pauvre mère et moi. Nous avions du chagrin, mais nous ne perdions jamais courage.

— Je ne perdrais pas courage pour quelque ouvrage que ce 35 fût, dit Germain ; mais la misère me fâcherait ; car je n'ai jamais manqué de rien. Ma femme m'avait fait riche et je le suis encore ; je le serai tant que je travaillerai à la métairie : ce sera toujours, j'espère ; mais chacun doit avoir sa peine ! j'ai souffert autrement.

5 — Oui, vous avez perdu votre femme, et c'est grand' pitié !

— N'est-ce pas ?

— Oh ! je l'ai bien pleurée, allez, Germain ! car elle était si bonne ! Tenez, n'en parlons plus ; car je la pleurerais encore, tous mes chagrins sont en train de me revenir aujourd'hui.

10 — C'est vrai qu'elle t'aimait beaucoup, petite Marie ! elle faisait grand cas de toi et de ta mère. Allons ! tu pleures ? Voyons, ma fille, je ne veux pas pleurer, moi. . . .

— Vous pleurez, pourtant, Germain ! Vous pleurez aussi ! Quelle honte y a-t-il pour un homme à pleurer sa femme ? Ne 15 vous gênez pas, allez ! je suis bien de moitié avec vous dans cette peine-là !

— Tu as un bon cœur, Marie, et ça me fait du bien de pleurer avec toi. Mais approche donc tes pieds du feu ; tu as tes jupes toutes mouillées aussi, pauvre petite fille ! Tiens, 20 je vas prendre ta place auprès du petit, chauffe-toi mieux que ça.

— J'ai assez chaud, dit Marie ; et si vous voulez vous asseoir, prenez un coin du manteau, moi je suis très-bien.

— Le fait est qu'on est pas mal ici, dit Germain en s'asseyant 25 tout auprès d'elle. Il n'y a que la faim qui me tourmente un peu. Il est bien neuf heures du soir, et j'ai eu tant de peine à marcher dans ces mauvais chemins, que je me sens tout affaibli. Est-ce que tu n'as pas faim, aussi, toi, Marie ?

— Moi ? pas du tout. Je ne suis pas habituée, comme vous, 30 à faire quatre repas, et j'ai été tant de fois me coucher sans souper, qu'une fois de plus ne m'étonne guère.

— Eh bien, c'est commode une femme comme toi ; ça ne fait pas de dépense, dit Germain en souriant.

— Je ne suis pas une femme, dit naïvement Marie, sans s'aper-35 cevoir de la tournure que prenaient les idées du laboureur. Est-ce que vous rêvez ?

— Oui, je crois que je rêve, répondit Germain ; c'est la faim qui me fait divaguer peut-être !

— Que vous êtes donc gourmand ! reprit-elle en s'égayant un peu à son tour ; eh bien ! si vous ne pouvez pas vivre cinq ou six heures sans manger, est-ce que vous n'avez pas là du gibier 5 dans votre sac, et du feu pour le faire cuire ?

— Diantre ! c'est une bonne idée ! mais le présent à mon futur beau-père ?

— Vous avez six perdrix et un lièvre ! Je pense qu'il ne vous faut pas tout cela pour vous rassasier ? 10

— Mais faire cuire cela ici, sans broche et sans landiers, ça deviendra du charbon !

— Non pas, dit la petite Marie ; je me charge de vous le faire cuire sous la cendre sans goût de fumée. Est-ce que vous n'avez jamais attrapé d'alouettes dans les champs, et que vous ne les 15 avez pas fait cuire entre deux pierres ? Ah ! c'est vrai ! j'oublie que vous n'avez pas été pastour ! Voyons, plumez cette perdrix ! Pas si fort ! vous lui arrachez la peau !

— Tu pourrais bien plumer l'autre pour me montrer !

— Vous voulez donc en manger deux ? Quel ogre ! Allons, 20 les voilà plumées, je vais les cuire.

— Tu ferais une parfaite cantinière, petite Marie ; mais, par malheur, tu n'as pas de cantine, et je serai réduit à boire l'eau de cette mare.

— Vous voudriez du vin, pas vrai ? Il vous faudrait peut-être 25 du café ? vous vous croyez à la foire sous la ramée ! Appelez l'aubergiste : de la liqueur au fin laboureur de Belair !

— Ah ! petite méchante, vous vous moquez de moi ? Vous ne boiriez pas du vin, vous, si vous en aviez ?

— Moi ? j'en ai bu ce soir avec vous chez la Rebec, pour la 30 seconde fois de ma vie ; mais si vous êtes bien sage, je vais vous en donner une bouteille quasi pleine, et du bon encore !

— Comment, Marie, tu es donc sorcière, décidément ?

— Est-ce que vous n'avez pas fait la folie de demander deux bouteilles de vin à la Rebec ? Vous en avez bu une avec votre 35 petit, et j'ai à peine avalé trois gouttes de celle que vous aviez

mise devant moi. Cependant vous les avez payées toutes les
deux sans y regarder.

— Eh bien?

— Eh bien, j'ai mis dans mon panier celle qui n'avait pas été
5 bue, parce que j'ai pensé que vous ou votre petit auriez soif en
route ; et la voilà.

— Tu es la fille la plus avisée que j'aie jamais rencontrée.
Voyez ! elle pleurait pourtant, cette pauvre enfant, en sortant de
l'auberge ! ça ne l'a pas empêchée de penser aux autres plus
10 qu'à elle-même.   Petite Marie, l'homme qui t'épousera ne sera
pas sot.

— Je l'espère, car je n'aimerais pas un sot.   Allons, mangez
vos perdrix, elles sont cuites à point ; et, faute de pain, vous vous
contenterez de châtaignes.

15 — Et où diable as-tu pris aussi des châtaignes?

— C'est bien étonnant ! tout le long du chemin, j'en ai pris
aux branches en passant, et j'en ai rempli mes poches.

— Et elles sont cuites aussi?

— A quoi donc aurais-je eu l'esprit si je ne les avais pas mises
20 dans le feu dès qu'il a été allumé?   Ça se fait toujours, aux
champs.

— Ah çà, petite Marie, nous allons souper ensemble ! je veux
boire à ta santé et te souhaiter un bon mari . . . là, comme tu
le souhaiterais toi-même.   Dis-moi un peu cela !

25 — J'en serais fort empêchée, Germain, car je n'y ai pas encore
songé.

— Comment, pas du tout? jamais? dit Germain, en commençant à manger avec un appétit de laboureur, mais coupant les
meilleurs morceaux pour les offrir à sa compagne, qui refusa
30 obstinément et se contenta de quelques châtaignes.   Dis-moi
donc, petite Marie, reprit-il, voyant qu'elle ne songeait pas à lui
répondre, tu n'as pas encore eu l'idée du mariage? tu es en âge,
pourtant !

— Peut-être, dit-elle ; mais je suis trop pauvre.   Il faut au
35 moins cent ecus pour entrer en ménage, et je dois travailler cinq
ou six ans pour les amasser.

— Pauvre fille ! je voudrais que le père Maurice voulût bien me donner cent écus pour t'en faire cadeau.

— Grand merci, Germain. Eh bien ! qu'est-ce qu'on dirait de moi ?

— Que veux-tu qu'on dise ? on sait bien que je suis vieux et que je ne peux pas t'épouser. Alors on ne supposerait pas que je . . . que tu. . . .

— Dites donc, laboureur ! voilà votre enfant qui se réveille, dit la petite Marie.

IX. — LA PRIÈRE DU SOIR.

Petit-Pierre s'était soulevé et regardait autour de lui d'un air tout pensif.

— Ah ! il n'en fait jamais d'autre quand il entend manger, celui-là ! dit Germain : le bruit du canon ne le réveillerait pas ; mais quand on remue les mâchoires auprès de lui, il ouvre les yeux tout de suite.

— Vous avez dû être comme ça à son âge, dit la petite Marie avec un sourire malin. Allons, mon petit Pierre, tu cherches ton ciel de lit ? Il est fait de verdure, ce soir, mon enfant ; mais ton père n'en soupe pas moins. Veux-tu souper avec lui ? Je n'ai pas mangé ta part ; je me doutais bien que tu la réclamerais !

— Marie, je veux que tu manges, s'écria le laboureur, je ne mangerai plus. Je suis un vorace, un grossier : toi, tu te prives pour nous, ce n'est pas juste, j'en ai honte. Tiens, ça m'ôte la faim ; je ne veux pas que mon fils soupe, si tu ne soupes pas.

— Laissez-nous tranquilles, répondit la petite Marie, vous n'avez pas la clef de nos appétits. Le mien est fermé aujourd'hui, mais celui de votre Pierre est ouvert comme celui d'un petit loup. Tenez, voyez comme il s'y prend ! Oh ! ce sera aussi un rude laboureur !

En effet, Petit-Pierre montra bientôt de qui il était fils, et à peine éveillé, ne comprenant ni où il était, ni comment il y était

venu, il se mit à dévorer.   Puis, quand il n'eut plus faim, se
trouvant excité comme il arrive aux enfants qui rompent leurs
habitudes, il eut plus d'esprit, plus de curiosité et plus de raisonnement qu'à l'ordinaire.   Il se fit expliquer où il était, et
5 quand il sut que c'était au milieu d'un bois, il eut un peu
peur.

— Y a-t-il des méchantes bêtes dans ce bois, demanda-t-il à
son père.

— Non, fit le père, il n'y en a point.   Ne crains rien.

10 — Tu as donc menti quand tu m'as dit que si j'allais avec toi
dans les grands bois les loups m'emporteraient ?

— Voyez-vous ce raisonneur ? dit Germain embarrassé.

— Il a raison, reprit la petite Marie, vous lui avez dit cela : il
a bonne mémoire, il s'en souvient.   Mais apprends, mon petit
15 Pierre, que ton père ne ment jamais.   Nous avons passé les
grands bois pendant que tu dormais, et nous sommes à présent
dans les petits bois, où il n'y a pas de méchantes bêtes.

— Les petits bois sont-ils bien loin des grands ?

— Assez loin ; d'ailleurs les loups ne sortent pas des grands
20 bois.   Et puis, s'il en venait ici, ton père les tuerait.

— Et toi aussi, petite Marie ?

— Et nous aussi, car tu nous aiderais bien, mon Pierre ?   Tu
n'as pas peur, toi ?   Tu taperais bien dessus !

— Oui, oui, dit l'enfant enorgueilli, en prenant une pose hé-
25 roïque, nous les tuerions !

— Il n'y a personne comme toi pour parler aux enfants, dit
Germain à la petite Marie, et pour leur faire entendre raison.   Il
est vrai qu'il n'y a pas longtemps que tu étais toi-même un petit
enfant, et tu te souviens de ce que te disait ta mère.   Je crois
30 bien que plus on est jeune, mieux on s'entend avec ceux qui le
sont.   J'ai grand'peur qu'une femme de trente ans, qui ne sait
pas encore ce que c'est que d'être mère, n'apprenne avec peine
à babiller et à raisonner avec des marmots.

— Pourquoi donc pas, Germain ?   Je ne sais pourquoi vous
35 avez une mauvaise idée touchant cette femme ; vous en reviendrez !

— Au diable la femme ! dit Germain. Je voudrais en être revenu pour n'y plus retourner. Qu'ai-je besoin d'une femme que je ne connais pas !

— Mon petit père, dit l'enfant, pourquoi donc est-ce que tu parles toujours de ta femme adjourd'hui, puisqu'elle est 5 morte ? . . .

— Hélas ! tu ne l'as donc pas oubliée, toi, ta pauvre chère mère ?

— Non, puisque je l'ai vu mettre dans une belle boîte de bois blanc, et que ma grand'mère m'a conduit auprès pour l'em- 10 brasser et lui dire adieu ! . . . Elle était toute blanche et toute froide, et tous les soirs ma tante me fait prier le bon Dieu pour qu'elle aille se réchauffer avec lui dans le ciel. Crois-tu qu'elle y soit, à présent ?

— Je l'espère, mon enfant ; mais il faut toujours prier, ça fait 15 voir à ta mère que tu l'aimes.

— Je vas dire ma prière, reprit l'enfant ; je n'ai pas pensé à la dire ce soir. Mais je ne peux pas la dire tout seul ; j'en oublie toujours un peu. Il faut que la petite Marie m'aide.

— Oui, mon Pierre, je vas t'aider, dit la jeune fille. Viens là, 20 te mettre à genoux sur moi.

L'enfant s'agenouilla sur la jupe de la jeune fille, joignit ses petites mains, et se mit à réciter sa prière, d'abord avec atten- tion et ferveur, car il savait très-bien le commencement ; puis avec plus de lenteur et d'hésitation, et enfin répétant mot à mot 25 ce que lui dictait la petite Marie, lorsqu'il arriva à cet endroit de son oraison, où le sommeil le gagnant chaque soir, il n'avait ja- mais pu l'apprendre jusqu'au bout. Cette fois encore, le travail de l'attention et la monotonie de son propre accent produisirent leur effet accoutumé, il ne prononça plus qu'avec effort les der- 30 nières syllabes, et encore après se les être fait répéter trois fois ; sa tête s'appesantit et se pencha sur la poitrine de Marie : ses mains se détendirent, se séparèrent et retombèrent ouvertes sur ses genoux. A la lueur du feu du bivouac, Germain regarda son petit ange assoupi sur le cœur de la jeune fille, qui, le soutenant 35 dans ses bras et réchauffant ses cheveux blonds de sa pure ha-

leine, s'était laissée aller aussi à une rêverie pieuse, et priait mentalement pour l'âme de Catherine.

Germain fut attendri, chercha ce qu'il pourrait dire à la petite
Marie pour lui exprimer ce qu'elle lui inspirait d'estime et de
5reconnaissance, mais ne trouva rien qui pût rendre sa pensée.
Il s'approcha d'elle pour embrasser son fils qu'elle tenait toujours
pressé contre son sein, et il eut peine à détacher ses lèvres du
front du petit Pierre.

— Vous l'embrassez trop fort, lui dit Marie en repoussant
10doucement la tête du laboureur, vous allez le réveiller. Laissez-
moi le recoucher, puisque le voilà reparti pour les rêves du
paradis.

L'enfant se laissa coucher, mais en s'étendant sur la peau de
chèvre du bât, il demanda s'il était sur la Grise. Puis, ouvrant
15ses grands yeux bleus, et les tenant fixés vers les branches pendant une minute, il parut rêver tout éveillé, ou être frappé d'une
idée qui avait glissé dans son esprit durant le jour, et qui s'y
formulait à l'approche du sommeil. "Mon petit père, dit-il, si
tu veux me donner une autre mère, je veux que ce soit la petite
20Marie."

Et, sans attendre de réponse, il ferma les yeux et s'en-
dormit.

X. — MALGRÉ LE FROID.

La petite Marie ne parut pas faire d'autre attention aux pa-
25roles bizarres de l'enfant que de les regarder comme une preuve
d'amitié ; elle l'enveloppa avec soin, ranima le feu, et, comme le
brouillard endormi sur la mare voisine ne paraissait nullement
près de s'éclaircir, elle conseilla à Germain de s'arranger auprès
du feu pour faire un somme.

30 — Je vois que cela vous vient déjà, lui dit-elle, car vous ne
dites plus mot, et vous regardez la braise comme votre petit faisait tout à l'heure. Allons, dormez, je veillerai à l'enfant et à
vous.

— C'est toi qui dormiras, répondit le laboureur, et moi je vous garderai tous les deux, car jamais je n'ai eu moins envie de dormir ; j'ai cinquante idées dans la tête.

— Cinquante, c'est beaucoup, dit la fillette avec une intention un peu moqueuse ; il y a tant de gens qui seraient heureux d'en 5 avoir une !

— Eh bien ! si je ne suis pas capable d'en avoir cinquante, j'en ai du moins une qui ne me lâche pas depuis une heure.

— Et je vas vous la dire, ainsi que celles que vous aviez auparavant. 10

— Eh bien ! oui, dis-la si tu la devines, Marie ; dis-la-moi toi-même, ça me fera plaisir.

— Il y a une heure, reprit-elle, vous aviez l'idée de manger . . . et à présent vous avez l'idée de dormir.

— Marie, je ne suis qu'un bouvier, mais vraiment tu me prends 15 pour un bœuf. Tu es une méchante fille, et je vois bien que tu ne veux point causer avec moi. Dors donc, cela vaudra mieux que de critiquer un homme qui n'est pas gai.

— Si vous voulez causer, causons, dit la petite fille en se couchant à demi auprès de l'enfant, et en appuyant sa tête contre 20 le bât. Vous êtes en train de vous tourmenter, Germain, et en cela vous ne montrez pas beaucoup de courage pour un homme. Que ne dirais-je pas, moi, si je ne me défendais pas de mon mieux contre mon propre chagrin ?

— Oui, sans doute, et c'est là justement ce qui m'occupe, ma 25 pauvre enfant ! Tu vas vivre loin de tes parents et dans un vilain pays de landes et de marécages, où tu attraperas les fièvres d'automne, où les bêtes à laine ne profitent pas, ce qui chagrine toujours une bergère qui a bonne intention ; enfin tu seras au milieu d'étrangers qui ne seront peut-être pas bons pour 30 toi, qui ne comprendront pas ce que tu vaux. Tiens, ça me fait plus de peine que je ne peux te le dire, et j'ai envie de te ramener chez ta mère au lieu d'aller à Fourche.

— Vous parlez avec beaucoup de bonté, mais sans raison, mon pauvre Germain ; on ne doit pas être lâche pour ses amis, et, au 35 lieu de me montrer le mauvais côté de mon sort, vous devriez m'en montrer le bon, comme vous faisiez quand nous avons goûté chez la Rebec.

— Que veux-tu ! ça me paraissait ainsi dans ce moment-là, et à présent ça me paraît autrement. Tu ferais mieux de trouver un mari.

— Ça ne se peut pas, Germain, je vous l'ai dit ; et comme ça ne se peut pas, je n'y pense pas.

— Mais enfin si ça se trouvait ? Peut-être que si tu voulais me dire comme tu souhaiterais qu'il fût, je parviendrais à imaginer quelqu'un.

— Imaginer n'est pas trouver. Moi, je n'imagine rien puisque c'est inutile.

— Tu n'aurais pas l'idée de trouver un riche ?

— Non, bien sûr, puisque je suis pauvre comme Job.

— Mais s'il était à son aise, ça ne te ferait pas de peine d'être bien logée, bien nourrie, bien vêtue et dans une famille de braves gens qui te permettrait d'assister ta mère ?

— Oh ! pour cela, oui ! assister ma mère est tout mon souhait.

— Et si cela se rencontrait, quand même l'homme ne serait pas de la première jeunesse, tu ne ferais pas trop la difficile ?

— Ah ! pardonnez-moi, Germain. C'est justement la chose à laquelle je tiendrais. Je n'aimerais pas un vieux !

— Un vieux, sans doute ; mais, par exemple, un homme de mon âge ?

— Votre âge est vieux pour moi, Germain ; j'aimerais l'âge de Bastien, quoique Bastien ne soit pas si joli homme que vous.

— Tu aimerais mieux Bastien le porcher ? dit Germain avec humeur. Un garçon qui a les yeux faits comme les bêtes qu'il mène ?

— Je passerais par-dessus ses yeux, à cause de ses dix-huit ans.

Germain se sentit horriblement jaloux. — Allons, dit-il, je vois que tu en tiens pour Bastien. C'est une drôle d'idée, pas moins !

— Oui, ce serait une drôle d'idée, répondit la petite Marie en
riant aux éclats, et ça ferait un drôle de mari. On lui ferait accroire tout ce qu'on voudrait. Par exemple, l'autre jour, j'avais
ramassé une tomate dans le jardin à monsieur le curé ; je lui ai
dit que c'était une belle pomme rouge, et il a mordu dedans 5
comme un goulu. Si vous aviez vu quelle grimace ! Mon Dieu,
qu'il était vilain !

— Tu ne l'aimes donc pas, puisque tu te moques de lui ?

— Ce ne serait pas une raison. Mais je ne l'aime pas : il est
brutal avec sa petite sœur, et il est malpropre.   10

— Eh bien ! tu ne te sens pas portée pour quelque autre ?

— Qu'est-ce que ça vous fait, Germain ?

— Ça ne me fait rien, c'est pour parler. Je vois, petite fille,
que tu as déjà un galant dans la tête.

— Non, Germain, vous vous trompez, je n'en ai pas encore ; 15
ça pourra venir plus tard : mais puisque je ne me marierai que
quand j'aurai un peu amassé, je suis destinée à me marier tard
et avec un vieux.

— Eh bien, prends-en un vieux tout de suite.

— Non pas ! quand je ne serai plus jeune, ça me sera égal ; à 20
présent, ce serait différent.

— Je vois bien, Marie, que je te déplais : c'est assez clair, dit
Germain avec dépit, et sans peser ses paroles.

La petite Marie ne répondit pas. Germain se pencha vers
elle : elle dormait ; elle était tombée vaincue et comme fou- 25
droyée par le sommeil, comme font les enfants qui dorment déjà
lorsqu'ils babillent encore.

Germain fut content qu'elle n'eût pas fait attention à ses der-
nières paroles ; il reconnut qu'elles n'étaient point sages, et il lui
tourna le dos pour se distraire et changer de pensée.   30

Mais il eut beau faire, il ne put s'endormir, ni songer à autre
chose qu'à ce qu'il venait de dire. Il tourna vingt fois autour
du feu, il s'éloigna, il revint ; enfin, se sentant aussi agité que s'il
eût avalé de la poudre à canon, il s'appuya contre l'arbre qui
abritait les deux enfants et les regarda dormir.   35

— Je ne sais pas comment je ne m'étais jamais aperçu, pen-

sait-il, que cette petite Marie est la plus jolie fille du pays ! . . .
Elle n'a pas beaucoup de couleur, mais elle a un petit visage frais
comme une rose de buissons ! Quelle gentille bouche et quel
mignon petit nez ! . . . Elle n'est pas grande pour son âge, mais
5 elle est faite comme une petite caille et légère comme un petit
pinson ! . . . Je ne sais pas pourquoi on fait tant de cas chez
nous d'une grande et grosse femme bien vermeille. . . . La
mienne était plutôt mince et pâle, et elle me plaisait par-dessus
tout. . . . Celle-ci est toute délicate, mais elle ne s'en porte pas
10 plus mal, et elle est jolie à voir comme un chevreau blanc ! . . .
Et puis, quel air doux et honnête ! comme on lit son bon cœur
dans ses yeux, même lorsqu'ils sont fermés pour dormir ! . . .
Quant à de l'esprit, elle en a plus que ma chère Catherine
n'en avait, il faut en convenir, et on ne s'ennuierait pas avec
15 elle. . . . C'est gai, c'est sage, c'est laborieux, c'est aimant, et
c'est drôle. Je ne vois pas ce qu'on pourrait souhaiter de
mieux. . . .

Mais qu'ai-je à m'occuper de tout cela ? reprenait Germain,
en tâchant de regarder d'un autre côté. Mon beau-père ne
20 voudrait pas en entendre parler, et toute la famille me traiterait
de fou ! . . . D'ailleurs, elle-même ne voudrait pas de moi, la
pauvre enfant ! . . . Elle me trouve trop vieux : elle me l'a dit.
. . . Elle n'est pas intéressée, elle se soucie peu d'avoir encore
de la misère et de la peine, de porter de pauvres habits, et de
25 souffrir de la faim pendant deux ou trois mois de l'année, pourvu
qu'elle contente son cœur un jour, et qu'elle puisse se donner à
un mari qui lui plaira . . . elle a raison, elle ! je ferais de même
à sa place . . . et, dès à présent, si je pouvais suivre ma volonté,
au lieu de m'embarquer dans un mariage qui ne me sourit pas,
30 je choisirais une fille à mon gré. . . .

Plus Germain cherchait à raisonner et à se calmer, moins il en
venait à bout. Il s'en allait à vingt pas de là, se perdre dans le
brouillard ; et puis, tout d'un coup, il se retrouvait à genoux à
côté des deux enfants endormis. Une fois même il voulut em-
35 brasser Petit-Pierre, qui avait un bras passé autour du cou de
Marie, et il se trompa si bien que Marie, sentant une haleine

chaude comme le feu courir sur ses lèvres, se réveilla et le regarda d'un air tout effaré, ne comprenant rien du tout à ce qui
se passait en lui.

— Je ne vous voyais pas, mes pauvres enfants ! dit Germain
en se retirant bien vite. J'ai failli tomber sur vous et vous faire 5
du mal.

La petite Marie eut la candeur de le croire, et se rendormit.
Germain passa de l'autre côté du feu, et jura à Dieu qu'il n'en
bougerait jusqu'à ce qu'elle fût réveillée. Il tint parole, mais ce
ne fut pas sans peine. Il crut qu'il en deviendrait fou.   10

Enfin, vers minuit, le brouillard se dissipa, et Germain put
voir les étoiles briller à travers les arbres. La lune se dégagea
aussi des vapeurs qui la couvraient et commença à semer des
diamants sur la mousse humide. Le tronc des chênes restait
dans une majestueuse obscurité ; mais, un peu plus loin, les 15
tiges blanches des bouleaux semblaient une rangée de fantômes
dans leurs suaires. Le feu se reflétait dans la mare ; et les gre-
nouilles, commençant à s'y habituer, hasardaient quelques notes
grêles et timides ; les branches anguleuses des vieux arbres,
hérissées de pâles lichens, s'étendaient et s'entre-croisaient 20
comme de grands bras décharnés sur la tête de nos voyageurs ; c'était un bel endroit, mais si désert et si triste, que Germain, las d'y souffrir, se mit à chanter et à jeter des pierres
dans l'eau pour s'étourdir sur l'ennui effrayant de la solitude.
Il désirait aussi éveiller la petite Marie ; et lorsqu'il vit qu'elle se 25
levait et regardait le temps, il lui proposa de se remettre en
route.

— Dans deux heures, lui dit-il, l'approche du jour rendra l'air
si froid, que nous ne pourrons plus y tenir, malgré notre feu. . . .
A présent, on voit à se conduire, et nous trouverons bien une 30
maison qui nous ouvrira, ou du moins quelque grange ou nous
pourrons passer à couvert le reste de la nuit.

Marie n'avait pas de volonté ; et, quoiqu'elle eût encore
grande envie de dormir, elle se disposa à suivre Germain.

Celui-ci prit son fils dans ses bras sans le réveiller, et voulut 35
que Marie s'approchât de lui pour se cacher dans son manteau,

puisqu'elle ne voulait pas reprendre sa cape roulée autour du petit Pierre.

Quand il sentit la jeune fille si près de lui, Germain, qui s'était distrait et égayé un instant, recommença à perdre la tête. Deux 5 ou trois fois il s'éloigna brusquement, et la laissa marcher seule. Puis voyant qu'elle avait peine à le suivre, il l'attendait, l'attirait vivement près de lui, et la pressait si fort, qu'elle en était étonnée et même fâchée sans oser le dire.

Comme ils ne savaient point du tout de quelle direction ils 10 étaient partis, ils ne savaient pas celle qu'ils suivaient ; si bien, qu'ils remontèrent encore une fois tout le bois, se retrouvèrent, de nouveau, en face de la lande déserte, revinrent sur leurs pas, et, après avoir tourné et marché longtemps, ils aperçurent de la clarté à travers les branches.

15 — Bon ! voici une maison, dit Germain, et des gens déjà éveillés, puisque le feu est allumé. Il est donc bien tard ?

Mais ce n'était pas une maison : c'était le feu de bivouac qu'ils avaient couvert en partant, et qui s'était rallumé à la brise. . . .

20 Ils avaient marché pendant deux heures pour se retrouver au point de départ.

XI. — A LA BELLE ÉTOILE.

— Pour le coup j'y renonce ! dit Germain en frappant du pied. On nous a jeté un sort, c'est bien sûr, et nous ne sortirons 25 d'ici qu'au grand jour. Il faut que cet endroit soit endiablé.

— Allons, allons, ne nous fâchons pas, dit Marie, et prenonsen notre parti. Nous ferons un plus grand feu, l'enfant est si bien enveloppé qu'il ne risque rien, et pour passer une nuit dehors nous n'en mourrons point. Où avez-vous caché la bâtine, 30 Germain ? Au milieu des grands houx, grand étourdi ! C'est commode pour aller la reprendre !

— Tiens l'enfant, prends-le, que je retire son lit des broussailles ; je ne veux pas que tu te piques les mains.

— C'est fait, voici le lit, et quelques piqûres ne sont pas des coups de sabre, reprit la brave petite fille.

Elle procéda de nouveau au coucher du petit Pierre, qui était si bien endormi cette fois qu'il ne s'aperçut en rien de ce nouveau voyage. Germain mit tant de bois au feu que toute la [5] forêt en resplendit à la ronde : mais la petite Marie n'en pouvait plus, et quoiqu'elle ne se plaignît de rien, elle ne se soutenait plus sur ses jambes. Elle était pâle et ses dents claquaient de froid et de faiblesse. Germain la prit dans ses bras pour la réchauffer ; et l'inquiétude, la compassion, des mouvements de ten- [10] dresse irrésistible s'emparant de son cœur, firent taire ses sens. Sa langue se délia comme par miracle, et toute honte cessant :

— Marie, lui dit-il, tu me plais, et je suis bien malheureux de ne pas te plaire. Si tu voulais m'accepter pour ton mari, il n'y aurait ni beau-père, ni parents, ni voisins, ni conseils qui pussent [15] m'empêcher de me donner à toi. Je sais que tu rendrais mes enfants heureux, que tu leur apprendrais à respecter le souvenir de leur mère, et, ma conscience étant en repos, je pourrais contenter mon cœur. J'ai toujours eu de l'amitié pour toi, et à présent je me sens si amoureux que si tu me demandais de faire [20] toute ma vie tes mille volontés, je te le jurerais sur l'heure. Vois, je t'en prie, comme je t'aime, et tâche d'oublier mon âge. Pense que c'est une fausse idée qu'on se fait quand on croit qu'un homme de trente ans est vieux. D'ailleurs je n'ai que vingt-huit ans ! une jeune fille craint de se faire critiquer en prenant un [25] homme qui a dix ou douze ans de plus qu'elle, parce que ce n'est pas la coutume du pays ; mais j'ai entendu dire que dans d'autres pays on ne regardait point à cela ; qu'au contraire on aimait mieux donner pour soutien, à une jeunesse, un homme raisonnable et d'un courage bien éprouvé qu'un jeune gars qui [30] peut se déranger, et, de bon sujet qu'on le croyait, devenir un mauvais garnement. D'ailleurs, les années ne font pas toujours l'âge. Cela dépend de la force et de la santé qu'on a. Quand un homme est usé par trop de travail et de misère ou par la mauvaise conduite, il est vieux avant vingt-cinq ans. Au lieu [35] que moi . . . Mais tu ne m'écoutes pas, Marie.

— Si fait, Germain, je vous entends bien, répondit la petite Marie, mais je songe à ce que m'a toujours dit ma mère : c'est qu'une femme de soixante ans est bien à plaindre quand son mari en a soixante-dix ou soixante-quinze, et qu'il ne peut plus 5travailler pour la nourrir. Il devient infirme, et il faut qu'elle le soigne à l'âge où elle commencerait elle-même à avoir grand besoin de ménagement et de repos. C'est ainsi qu'on arrive à finir sur la paille.

— Les parents ont raison de dire cela, j'en conviens, Marie, 10reprit Germain ; mais enfin ils sacrifieraient tout le temps de la jeunesse, qui est le meilleur, à prévoir ce qu'on deviendra à l'âge où l'on n'est plus bon à rien, et où il est indifférent de finir d'une manière ou d'une autre. Mais moi, je ne suis pas dans le danger de mourir de faim sur mes vieux jours. Je suis à même 15d'amasser quelque chose, puisque vivant avec les parents de ma femme, je travaille beaucoup et ne dépense rien. D'ailleurs, je t'aimerai tant, vois-tu, que ça m'empêchera de vieillir. On dit que quand un homme est heureux, il se conserve, et je sens bien que je suis plus jeune que Bastien pour t'aimer ; car il ne t'aime 20pas, lui, il est trop bête, trop enfant pour comprendre comme tu es jolie et bonne, et faite pour être recherchée. Allons, Marie, ne me déteste pas, je ne suis pas un méchant homme : j'ai rendu ma Catherine heureuse, elle a dit devant Dieu à son lit de mort qu'elle n'avait jamais eu de moi que du contentement, et elle 25m'a recommandé de me remarier. Il semble que son esprit ait parlé ce soir à son enfant, au moment où il s'est endormi. Estce que tu n'as pas entendu ce qu'il disait ? et comme sa petite bouche tremblait, pendant que ses yeux regardaient en l'air quelque chose que nous ne pouvions pas voir ! Il voyait sa 30mère, sois-en sûre, et c'était elle qui lui faisait dire qu'il te voulait pour la remplacer.

— Germain, répondit Marie, tout étonnée et tout pensive, vous parlez honnêtement et tout ce que vous dites est vrai. Je suis sûre que je ferais bien de vous aimer, si ça ne mécontentait 35pas trop vos parents : mais que voulez-vous que j'y fasse ? le cœur ne m'en dit pas pour vous. Je vous aime bien, mais quoique votre âge ne vous enlaidisse pas, il me fait peur. Il me semble que vous êtes quelque chose pour moi, comme un oncle ou un parrain ; que je vous dois le respect, et que vous auriez des moments où vous me traiteriez comme une petite fille plutôt que comme votre femme et votre égale. Enfin, mes camarades [5] se moqueraient peut-être de moi, et quoique ça soit une sottise de faire attention à cela, je crois que je serais honteuse et un peu triste le jour de mes noces.

— Ce sont là des raisons d'enfant ; tu parles tout à fait comme un enfant, Marie ! [10]

— Eh bien ! oui, je suis un enfant, dit-elle, et c'est à cause de cela que je crains un homme trop raisonnable. Vous voyez bien que je suis trop jeune pour vous, puisque déjà vous me reprochez de parler sans raison ! Je ne puis pas avoir plus de raison que mon âge n'en comporte. [15]

— Hélas ! mon Dieu, que je suis donc à plaindre d'être si maladroit et de dire si mal ce que je pense ! s'écria Germain. Marie, vous ne m'aimez pas, voilà le fait ; vous me trouvez trop simple et trop lourd. Si vous m'aimiez un peu, vous ne verriez pas si clairement mes défauts. Mais vous ne m'aimez pas,[20] voilà !

— Eh bien ! ce n'est pas ma faute, répondit-elle, un peu blessée de ce qu'il ne la tutoyait plus ; j'y fais mon possible en vous écoutant, mais plus je m'y essaie et moins je peux me mettre dans la tête que nous devions être mari et femme. [25]

Germain ne répondit pas. Il mit sa tête dans ses deux mains et il fut impossible à la petite Marie de savoir s'il pleurait, s'il boudait, ou s'il était endormi. Elle fut un peu inquiète de le voir si morne et de ne pas deviner ce qui roulait dans son esprit ; mais elle n'osa pas lui parler davantage, et comme elle était trop [30] étonnée de ce qui venait de se passer pour avoir envie de se rendormir, elle attendit le jour avec impatience, soignant toujours le feu et veillant l'enfant, dont Germain paraissait ne plus se souvenir. Cependant Germain ne dormait point ; il ne réfléchissait pas à son sort, et ne faisait ni projets de courage, ni [35] plans de séduction. Il souffrait, il avait une montagne d'ennui

sur le cœur. Il aurait voulu être mort. Tout paraissait devoir
tourner mal pour lui, et s'il eût pu pleurer il ne l'aurait pas fait
à demi. Mais il y avait un peu de colère contre lui-même, mêlée à sa peine, et il étouffait sans pouvoir et sans vouloir se
5 plaindre.

Quand le jour fut venu et que les bruits de la campagne l'an-
noncèrent à Germain, il sortit son visage de ses mains et se leva.
Il vit que la petite Marie n'avait pas dormi non plus, mais il ne
sut rien lui dire pour marquer sa sollicitude. Il était tout à fait
10 découragé. Il cacha de nouveau le bât de la Grise dans les
buissons, prit son sac sur son épaule, et tenant son fils par la
main :

— A présent, Marie, dit-il, nous allons tâcher d'achever notre
voyage. Veux-tu que je te conduise aux Ormeaux ?

15 — Nous sortirons du bois ensemble, lui répondit elle, et
quand nous saurons où nous sommes, nous irons chacun de
notre côté.

Germain ne répondit pas. Il était blessé de ce que la jeune
fille ne lui demandait pas de la mener jusqu'aux Ormeaux, et il
20 ne s'apercevait pas qu'il le lui avait offert d'un ton qui semblait
provoquer un refus.

Un bûcheron qu'ils rencontrèrent au bout de deux cents pas
les mit dans le bon chemin, et leur dit qu'après avoir passé la
grande prairie ils n'avaient qu'à prendre, l'un tout droit, l'autre
25 sur la gauche, pour gagner leurs différents gîtes, qui étaient d'ailleurs si voisins qu'on voyait distinctement les maisons de Fourche
de la ferme des Ormeaux, et réciproquement.

Puis, quand ils eurent remercié et dépassé le bûcheron, celui-
ci les rappela pour leur demander s'ils n'avaient pas perdu un
30 cheval.

— J'ai trouvé, leur dit-il, une belle jument grise dans ma cour,
où peut-être le loup l'aura forcée de chercher un refuge. Mes
chiens ont *jappé à nuitée*, et au point du jour j'ai vu la bête chevaline sous mon hangar ; elle y est encore. Allons-y, et si vous
35 la reconnaissez, emmenez-la.

Germain ayant donné d'avance le signalement de la Grise et

s'étant convaincu qu'il s'agissait bien d'elle, se mit en route pour
aller rechercher son bât. La petite Marie lui offrit alors de conduire son enfant aux Ormeaux, où il viendrait le reprendre lors
qu'il aurait fait son entrée à Fourche.

— Il est un peu malpropre après la nuit que nous avons passée, 5
dit-elle. Je nettoierai ses habits, je laverai son joli museau, je le
peignerai, et quand il sera beau et brave, vous pourrez le pré-
senter à votre nouvelle famille.

— Et qui te dit que je veuille aller à Fourche? répondit Germain avec humeur. Peut-être n'irai-je pas ! 10

— Si fait, Germain, vous devez y aller, vous irez, reprit la jeune
fille.

— Tu es bien pressée que je me marie avec une autre, afin
d'être sûre que je ne t'ennuierai plus ?

— Allons, Germain, ne pensez plus à cela : c'est une idée qui 15
vous est venue dans la nuit, parce que cette mauvaise aventure
avait un peu dérangé vos esprits. Mais à présent il faut que la
raison vous revienne ; je vous promets d'oublier ce que vous
m'avez dit et de n'en jamais parler à personne.

— Eh ! parles-en si tu veux. Je n'ai pas l'habitude de renier 20
mes paroles. Ce que je t'ai dit était vrai, honnête, et je n'en
rougirai devant personne.

— Oui ; mais si votre femme savait qu'au moment d'arriver
vous avez pensé à une autre, ça la disposerait mal pour vous.
Ainsi faites attention aux paroles que vous direz maintenant ; ne 25
me regardez pas comme ça devant le monde, avec un air tout
singulier. Songez au père Maurice qui compte sur votre obéissance, et qui serait bien en colère contre moi si je vous détour-
nais de faire sa volonté. Bonjour, Germain ; j'emmène Petit-
Pierre afin de vous forcer d'aller à Fourche. C'est un gage que 30
je vous garde.

— Tu veux donc aller avec elle? dit le laboureur à son fils, en
voyant qu'il s'attachait aux mains de la petite Marie, et qu'il la
suivait résolument.

— Oui, père, répondit l'enfant qui avait écouté et compris à 35
sa manière ce qu'on venait de dire sans méfiance devant lui. Je

m'en vais avec ma Marie mignonne : tu viendras me chercher
quand tu auras fini de te marier ; mais je veux que Marie reste
ma petite mère.

— Tu vois bien qu'il le veut, lui ! dit Germain à la jeune fille,
5 Écoute, Petit-Pierre, ajouta-t-il, moi je le souhaite, qu'elle soit ta
mère et qu'elle reste toujours avec toi : c'est elle qui ne le veut
pas. Tâche qu'elle t'accorde ce qu'elle me refuse.

— Sois tranquille, mon père, je lui ferai dire oui : la petite
Marie fait toujours ce que je veux.

10 Il s'éloigna avec la jeune fille. Germain resta seul, plus triste,
plus irrésolu que jamais.

XII. — LA LIONNE DU VILLAGE.

Cependant, quand il eut réparé le désordre du voyage dans
ses vêtements et dans l'équipage de son cheval, quand il fut
15 monté sur la Grise et qu'on lui eut indiqué le chemin de
Fourche, il pensa qu'il n'y avait plus à reculer, et qu'il fallait
oublier cette nuit d'agitations comme un rêve dangereux.

Il trouva le père Léonard au seuil de sa maison blanche, assis
sur un beau banc de bois peint en vert-épinard. Il y avait six
20 marches de pierre disposées en perron, ce qui faisait voir que la
maison avait une cave. Le mur du jardin et de la chènevière
était crépi à chaux et à sable. C'était une belle habitation ; il
s'en fallait de peu qu'on ne la prît pour une maison de bourgeois.

25 Le futur beau-père vint au-devant de Germain, et après lui
avoir demandé, pendant cinq minutes, des nouvelles de toute sa
famille, il ajouta la phrase consacrée à questionner poliment ceux
qu'on rencontre, sur le but de leur voyage : *Vous êtes donc venu
pour vous promener par ici ?*

30 — Je suis venu vous voir, répondit le laboureur, et vous pré-
senter ce petit cadeau de gibier de la part de mon beau-père, en
vous disant, aussi de sa part, que vous devez savoir dans quelles
intentions je viens chez vous.

— Ah ! ah ! dit le père Léonard en riant et en frappant sur
son estomac rebondi, je vois, j'entends, j'y suis ! Et, clignant
de l'œil, il ajouta : Vous ne serez pas le seul à faire vos compli-
ments, mon jeune homme. Il y en a déjà trois à la maison qui
attendent comme vous. Moi, je ne renvoie personne, et je se- 5
rais bien embarrassé de donner tort ou raison à quelqu'un, car
ce sont tous de bons partis. Pourtant, à cause du père Maurice
et de la qualité des terres que vous cultivez, j'aimerais mieux
que ce fût vous. Mais ma fille est majeure et maîtresse de son
bien ; elle agira donc selon son idée. Entrez, faites-vous con- 10
naître ; je souhaite que vous ayez le bon numéro !

— Pardon, excuse, répondit Germain, fort surpris de se trouver en surnuméraire là où il avait compté d'être seul. Je ne
savais pas que votre fille fût déjà pourvue de prétendants, et je
n'étais pas venu pour la disputer aux autres. 15

— Si vous avez cru que, parce que vous tardiez à venir, répondit, sans perdre sa bonne humeur, le père Léonard, ma fille
se trouvait au dépourvu, vous vous êtes grandement trompé,
mon garçon. La Catherine a de quoi attirer les épouseurs, et
elle n'aura que l'embarras du choix. Mais, entrez à la maison, 20
vous dis-je, et ne perdez pas courage. C'est une femme qui
vaut la peine d'être disputée.

Et poussant Germain par les épaules avec une rude gaîté : —
Allons, Catherine, s'écria-t-il en entrant dans la maison, en voilà
un de plus ! 25

Cette manière joviale mais grossière d'être présenté à la veuve,
en présence de ses autres soupirants, acheva de troubler et de
mécontenter le laboureur. Il se sentit gauche et resta quelques
instants sans oser lever les yeux sur la belle et sur sa cour.

La veuve Guérin était bien faite et ne manquait pas de fraî- 30
cheur. Mais elle avait une expression de visage et une toilette
qui déplurent tout d'abord à Germain. Elle avait l'air hardi et
content d'elle-même, et ses cornettes garnies d'un triple rang
de dentelle, son tablier de soie, et son fichu de blonde noire
étaient peu en rapport avec l'idée qu'il s'était faite d'une veuve 35
sérieuse et rangée.

Cette recherche d'habillement et ces manières dégagées la lui firent trouver vieille et laide, quoiqu'elle ne fût ni l'un ni l'autre. Il pensa qu'une si jolie parure et des manières si enjouées siéraient à l'âge et à l'esprit fin de la petite Marie, mais que cette 5 veuve avait la plaisanterie lourde et hasardée, et qu'elle portait sans distinction ses beaux atours.

Les trois prétendants étaient assis à une table chargée de vins et de viandes, qui étaient là en permanence pour eux toute la matinée du dimanche ; car le père Léonard aimait à faire mon- 10 tre de sa richesse, et la veuve n'était pas fâchée non plus d'étaler sa belle vaisselle, et de tenir table comme une rentière. Germain, tout simple et confiant qu'il était, observa les choses avec assez de pénétration, et pour la première fois de sa vie il se tint sur la défensive en trinquant. Le père Léonard l'avait forcé de 15 prendre place avec ses rivaux, et, s'asseyant lui-même vis-à-vis de lui, il le traitait de son mieux, et s'occupait de lui avec prédilection. Le cadeau de gibier, malgré la brèche que Germain y avait faite pour son propre compte, était encore assez copieux pour produire de l'effet. La veuve y parut sensible, et les pré- 20 tendants y jetèrent un coup d'œil de dédain.

Germain se sentait mal à l'aise en cette compagnie et ne mangeait pas de bon cœur. Le père Léonard l'en plaisanta. — Vous voilà bien triste, lui dit-il, et vous boudez contre votre verre. Il ne faut pas que l'amour vous coupe l'appétit, car un 25 galant à jeun ne sait point trouver de jolies paroles comme celui qui s'est éclairci les idées avec une petite pointe de vin. Germain fut mortifié qu'on le supposât déjà amoureux, et l'air maniéré de la veuve, qui baissa les yeux en souriant, comme une personne sûre de son fait, lui donna l'envie de protester contre 30 sa prétendue défaite ; mais il craignit de paraître incivil, sourit et prit patience.

Les galants de la veuve lui parurent trois rustres. Il fallait qu'ils fussent bien riches pour qu'elle admît leurs prétentions. L'un avait plus de quarante ans et était quasi aussi gros que le 35 père Léonard ; un autre était borgne et buvait tant qu'il en était abruti ; le troisième était jeune et assez joli garçon ; mais il voulait faire de l'esprit et disait des choses si plates que cela faisait pitié. Pourtant la veuve en riait comme si elle eût admiré toutes ces sottises, et, en cela, elle ne faisait pas preuve de goût. Germain crut d'abord qu'elle en était coiffée ; mais bientôt il s'aperçut qu'il était lui-même encouragé d'une manière particulière, 5 et qu'on souhaitait qu'il se livrât davantage. Ce lui fut une raison pour se sentir et se montrer plus froid et plus grave.

L'heure de la messe arriva, et on se leva de table pour s'y rendre ensemble. Il fallait aller jusqu'à Mers, à une bonne demi-lieue de là, et Germain était si fatigué qu'il eût fort souhaité 10 avoir le temps de faire un somme auparavant ; mais il n'avait pas coutume de manquer la messe, et il se mit en route avec les autres.

Les chemins étaient couverts de monde, et la veuve marchait d'un air fier, escortée de ses trois prétendants, donnant le bras 15 tantôt à l'un, tantôt à l'autre, se rengorgeant et portant haut la tête. Elle eût fort souhaité produire le quatrième aux yeux des passants ; mais Germain trouva si ridicule d'être traîné ainsi de compagnie par un cotillon, à la vue de tout le monde, qu'il se tint à distance convenable, causant avec le père Léonard, et 20 trouvant moyen de le distraire et de l'occuper assez pour qu'ils n'eussent point l'air de faire partie de la bande.

XIII. — LE MAÎTRE.

Lorsqu'ils atteignirent le village, la veuve s'arrêta pour les attendre. Elle voulait absolument faire son entrée avec tout son 25 monde ; mais Germain, lui refusant cette satisfaction, quitta le père Léonard, accosta plusieurs personnes de sa connaissance, et entra dans l'église par une autre porte. La veuve en eut du dépit.

Après la messe, elle se montra partout triomphante sur la pe- 30 louse où l'on dansait, et ouvrit la danse avec ses trois amoureux successivement. Germain la regarda faire, et trouva qu'elle dansait bien, mais avec affectation.

— Eh bien ! lui dit Léonard en lui frappant sur l'épaule, vous ne faites donc pas danser ma fille ? Vous êtes aussi par trop timide !

— Je ne danse plus depuis que j'ai perdu ma femme, répondit le laboureur.

— Eh bien ! puisque vous en recherchez une autre, le deuil est fini dans le cœur comme sur l'habit.

— Ce n'est pas une raison, père Léonard ; d'ailleurs je me trouve trop vieux, je n'aime plus la danse.

— Écoutez, reprit Léonard en l'attirant dans un endroit isolé, vous avez pris du dépit en entrant chez moi, de voir la place déjà entourée d'assiégeants, et je vois que vous êtes très-fier ; mais ceci n'est pas raisonnable, mon garçon. Ma fille est habituée à être courtisée, surtout depuis deux ans qu'elle a fini son deuil, et ce n'est pas à elle à aller au-devant de vous.

— Il y a déjà deux ans que votre fille est à marier, et elle n'a pas encore pris son parti ? dit Germain.

— Elle ne veut pas se presser, et elle a raison. Quoiqu'elle ait la mine éveillée et qu'elle vous paraisse peut-être ne pas beaucoup réfléchir, c'est une femme d'un grand sens, et qui sait fort bien ce qu'elle fait.

— Il ne me semble pas, dit Germain ingénument, car elle a trois galants à sa suite, et si elle savait ce qu'elle veut, il y en aurait au moins deux qu'elle trouverait de trop et qu'elle prierait de rester chez eux.

— Pourquoi donc ? vous n'y entendez rien, Germain. Elle ne veut ni du vieux, ni du borgne, ni du jeune, j'en suis quasi certain ; mais si elle les renvoyait, on penserait qu'elle veut rester veuve, et il n'en viendrait pas d'autre.

— Ah ! oui ! ceux-là servent d'enseigne !

— Comme vous dites. Où est le mal, si cela leur convient ?

— Chacun son goût ! dit Germain.

— Je vois que ce ne serait pas le vôtre. Mais voyons, on peut s'entendre, à supposer que vous soyez préféré : on pourrait vous laisser la place.

— Oui, à supposer ! Et en attendant qu'on puisse le savoir, combien de temps faudrait-il rester le nez au vent?

— Ça dépend de vous, je crois, si vous savez parler et persuader. Jusqu'ici ma fille a très bien compris que le meilleur temps de sa vie serait celui qu'elle passerait à se laisser courtiser, 5 et elle ne se sent pas pressée de devenir la servante d'un homme, quand elle peut commander à plusieurs. Ainsi, tant que le jeu lui plaira elle peut se divertir ; mais si vous plaisez plus que le jeu, le jeu pourra cesser. Vous n'avez qu'à ne pas vous rebuter. Revenez tous les dimanches, faites-la danser, donnez à connaître 10 que vous vous mettez sur les rangs, et si on vous trouve plus aimable et mieux appris que les autres, un beau jour on vous le dira sans doute.

— Pardon, père Léonard, votre fille a le droit d'agir comme elle l'entend, et je n'ai pas celui de la blâmer. A sa place, moi, 15 j'agirais autrement ; j'y mettrais plus de franchise et je ne ferais pas perdre du temps à des hommes qui ont sans doute quelque chose de mieux à faire qu'à tourner autour d'une femme qui se moque d'eux. Mais, enfin, si elle trouve son amusement et son bonheur à cela, cela ne me regarde point. Seulement, il faut 20 que je vous dise une chose qui m'embarrasse un peu à vous avouer depuis ce matin, vu que vous avez commencé par vous tromper sur mes intentions, et que vous ne m'avez pas donné le temps de vous répondre : si bien que vous croyez ce qui n'est point. Sachez donc que je ne suis pas venu ici dans la vue de 25 demander votre fille en mariage, mais dans celle de vous acheter une paire de bœufs que vous voulez conduire en foire la semaine prochaine, et que mon beau-père suppose lui convenir.

— J'entends, Germain, répondit Léonard fort tranquillement ; vous avez changé d'idée en voyant ma fille avec ses amoureux. 30 C'est comme il vous plaira. Il paraît que ce qui attire les uns rebute les autres, et vous avez le droit de vous retirer puisque aussi bien vous n'avez pas encore parlé. Si vous voulez sérieusement acheter mes bœufs, venez les voir au pâturage ; nous en causerons, et, que nous fassions ou non ce marché, vous vien- 35 drez dîner avec nous avant de vous en retourner.

— Je ne veux pas que vous vous dérangiez, reprit Germain, vous avez peut-être affaire ici ; moi je m'ennuie un peu de voir danser et de ne rien faire. Je vais voir vos bêtes, et je vous trouverai tantôt chez vous.

5 Là-dessus Germain s'esquiva et se dirigea vers les prés, où Léonard lui avait, en effet, montré de loin une partie de son bétail. Il était vrai que le père Maurice en avait à acheter, et Germain pensa que s'il lui ramenait une belle paire de bœufs d'un prix modéré, il se ferait mieux pardonner d'avoir manqué 10 volontairement le but de son voyage.

Il marcha vite et se trouva bientôt à peu de distance des Ormeaux. Il éprouva alors le besoin d'aller embrasser son fils, et même de revoir la petite Marie, quoiqu'il eût perdu l'espoir et chassé la pensée de lui devoir son bonheur. Tout ce qu'il ve- 15 nait de voir et d'entendre, cette femme coquette et vaine, ce père à la fois rusé et borné, qui encourageait sa fille dans des habitudes d'orgueil et de déloyauté, ce luxe des villes, qui lui paraissait une infraction à la dignité des mœurs de la campagne, ce temps perdu à des paroles oiseuses et niaises, cet intérieur si 20 différent du sien, et surtout ce malaise profond que l'homme des champs éprouve lorsqu'il sort de ses habitudes laborieuses, tout ce qu'il avait subi d'ennui et de confusion depuis quelques heures donnait à Germain l'envie de se retrouver avec son enfant et sa petite voisine. N'eût-il pas été amoureux de cette 25 dernière, il l'aurait encore cherchée pour se distraire et remettre ses esprits dans leur assiette accoutumée.

Mais il regarda en vain dans les prairies environnantes, il n'y trouva ni la petite Marie ni le petit Pierre : il était pourtant l'heure où les pasteurs sont aux champs. Il y avait un grand 30 troupeau dans une *chôme ;* il demanda à un jeune garçon, qui le gardait, si c'étaient les moutons de la métairie des Ormeaux.

— Oui, dit l'enfant.

— En êtes-vous le berger? est-ce que les garçons gardent les bêtes à laine des métairies, dans votre endroit?

35 — Non. Je les garde aujourd'hui parce que la bergère est partie : elle était malade.

— Mais n'avez-vous pas une nouvelle bergère, arrivée de ce matin?

— Oh! bien oui? elle est déjà partie aussi.

— Comment, partie? n'avait-elle pas un enfant avec elle?

— Oui : un petit garçon qui a pleuré.   Ils se sont en allés 5 tous les deux au bout de deux heures.

— En allés, où?

— D'où ils venaient, apparemment.   Je ne leur ai pas demandé.

— Mais pourquoi donc s'en allaient-ils? dit Germain de plus 10 en plus inquiet.

— Dame! est-ce que je sais?

— On ne s'est pas entendu sur le prix? ce devait être pourtant une chose convenue d'avance.

— Je ne peux rien vous en dire.   Je les ai vus entrer et sortir, 15 voilà tout.

Germain se dirigea vers la ferme et questionna les métayers. Personne ne put lui expliquer le fait; mais il était constant qu'après avoir causé avec le fermier, la jeune fille était partie sans rien dire, emmenant l'enfant qui pleurait.   20

— Est-ce qu'on a maltraité mon fils? s'écria Germain dont les yeux s'enflammèrent.

— C'était donc votre fils?   Comment se trouvait-il avec cette petite?   D'où êtes-vous donc, et comment vous appelle-t-on?   •   25

Germain, voyant que, selon l'habitude du pays, on allait répondre à ses questions par d'autres questions, frappa du pied avec impatience et demanda à parler au maître.

Le maître n'y était pas : il n'avait pas coutume de rester la journée entière quand il venait à la ferme.   Il était monté à 30 cheval, et il était parti on ne savait pour quelle autre de ses fermes.

— Mais enfin, dit Germain en proie à une vive anxiété, ne pouvez-vous savoir la raison du départ de cette jeune fille?

Le métayer échangea un sourire étrange avec sa femme, puis 35 il répondit qu'il n'en savait rien, que cela ne le regardait pas.

Tout ce que Germain put apprendre, c'est que la jeune fille et
l'enfant étaient allés du côté de Fourche. Il courut à Fourche :
la veuve et ses amoureux n'étaient pas de retour, non plus que
le père Léonard. La servante lui dit qu'une jeune fille et un
5 enfant étaient venus le demander, mais que, ne les connaissant
pas, elle n'avait pas voulu les recevoir, et leur avait conseillé
d'aller à Mers.

— Et pourquoi avez-vous refusé de les recevoir? dit Germain
avec humeur. On est donc bien méfiant dans ce pays-ci, qu'on
10 n'ouvre pas la porte à son prochain?

— Ah dame ! répondit la servante, dans une maison riche
comme celle-ci on a raison de faire bonne garde. Je réponds
de tout quand les maîtres sont absents, et je ne peux pas ouvrir
aux premiers venus.

15 — C'est une laide coutume, dit Germain, et j'aimerais mieux
être pauvre que de vivre comme cela dans la crainte. Adieu, la
fille ! adieu à votre vilain pays !

Il s'enquit dans les maisons environnantes. On avait vu la
bergère et l'enfant. Comme le petit était parti de Belair à l'im-
20 proviste, sans toilette, avec sa blouse un peu déchirée et sa petite
peau d'agneau sur le corps ; comme aussi la petite Marie était,
pour cause, fort pauvrement vêtue en tout temps, on les avait
pris pour des mendiants. On leur avait offert du pain ; la jeune
fille en avait accepté un morceau pour l'enfant qui avait faim,
25 puis elle était partie très-vite avec lui, et avait gagné les bois.

Germain réfléchit un instant, puis il demanda si le fermier des
Ormeaux n'était pas venu à Fourche.

— Oui, lui répondit-on ; il a passé à cheval peu d'instants
après cette petite.

30 — Est-ce qu'il a couru après elle?

— Ah ! vous le connaissez donc? dit en riant le cabaretier de
l'endroit, auquel il s'adressait. Oui, certes ; c'est un gaillard
assez dangereux. . . . Mais je ne crois pas qu'il ait attrapé
celle-là ; quoique après tout, s'il l'eût vue . . .

35 — C'est assez, merci ! Et il vola plutôt qu'il ne courut à
l'écurie de Léonard. Il jeta la bâtine sur la Grise, sauta dessus,

et partit au grand galop dans la direction des bois de Chanteloube.

Le cœur lui bondissait d'inquiétude et de colère, la sueur lui
coulait du front. Il mettait en sang les flancs de la Grise, qui,
en se voyant sur le chemin de son écurie, ne se faisait pourtant 5
pas prier pour courir.

XIV. — LA VIEILLE.

Germain se retrouva bientôt à l'endroit où il avait passé la
nuit au bord de la mare. Le feu fumait encore ; une vieille
femme ramassait le reste de la provision de bois mort que la 10
petite Marie y avait entassée. Germain s'arrêta pour la questionner. Elle était sourde, et, se méprenant sur ses interroga-
tions :

— Oui, mon garçon, dit-elle, c'est ici la Mare au Diable.
C'est un mauvais endroit, et il ne faut pas en approcher sans 15
jeter trois pierres dedans de la main gauche, en faisant le signe
de la croix de la main droite : ça éloigne les esprits. Autrement
il arrive des malheurs à ceux qui en font le tour.

— Je ne vous parle pas de ça, dit Germain en s'approchant
d'elle et en criant à tue-tête : 20

— N'avez-vous pas vu passer dans le bois une fille et un
enfant ?

— Oui, dit la vieille, il s'y est noyé un petit enfant !

Germain frémit de la tête aux pieds ; mais heureusement la
vieille ajouta : 25

— Il y a bien longtemps de ça ; en mémoire de l'accident on
y avait planté une belle croix ; mais, par une belle nuit de grand
orage, les mauvais esprits l'ont jetée dans l'eau. On peut en
voir encore un bout. Si quelqu'un avait le malheur de s'arrêter
ici la nuit, il serait bien sûr de ne pouvoir jamais en sortir avant 30
le jour. Il aurait beau marcher, marcher, il pourrait faire deux
cents lieues dans le bois et se retrouver toujours à la même
place.

L'imagination du laboureur se frappa malgré lui de ce qu'il entendait, et l'idée du malheur qui devait arriver pour achever de justifier les assertions de la vieille femme, s'empara si bien de sa tête, qu'il se sentit froid par tout le corps. Désespérant d'ob-
5 tenir d'autres renseignements, il remonta à cheval et recommença de parcourir le bois en appelant Pierre de toutes ses forces, et en sifflant, faisant claquer son fouet, cassant les branches pour remplir la forêt du bruit de sa marche, écoutant ensuite si quelque voix lui répondait ; mais il n'entendait que la cloche des
10 vaches éparses dans les taillis, et le cri sauvage des porcs qui se disputaient la glandée.

Enfin Germain entendit derrière lui le bruit d'un cheval qui courait sur ses traces, et un homme entre deux âges, brun, robuste, habillé comme un demi-bourgeois, lui cria de s'arrêter.
15 Germain n'avait jamais vu le fermier des Ormeaux ; mais un instinct de rage lui fit juger de suite que c'était lui. Il se retourna, et, le toisant de la tête aux pieds, il attendit ce qu'il avait à lui dire.

— N'avez-vous pas vu passer par ici une jeune fille de quinze
20 ou seize ans, avec un petit garçon ? dit le fermier en affectant un air d'indifférence, quoiqu'il fût visiblement ému.

— Et que lui voulez-vous ? répondit Germain sans chercher à déguiser sa colère.

— Je pourrais vous dire que ça ne vous regarde pas, mon
25 camarade ! mais comme je n'ai pas de raisons pour le cacher, je vous dirai que c'est une bergère que j'avais louée pour l'année sans la connaître. . . . Quand je l'ai vue arriver, elle m'a semblé trop jeune et trop faible pour l'ouvrage de la ferme. Je l'ai remerciée, mais je voulais lui payer les frais de son petit voyage,
30 et elle est partie fâchée pendant que j'avais le dos tourné. . . . Elle s'est tant pressée, qu'elle a même oublié une partie de ses effets et de sa bourse, qui ne contient pas grand'chose, à coup sûr ; quelques sous probablement ! . . . mais enfin, comme j'avais à passer par ici, je pensais la rencontrer et lui remettre ce
35 qu'elle a oublié et ce que je lui dois.

Germain avait l'âme trop honnête pour ne pas hésiter en en-

tendant cette histoire, sinon très-vraisemblable, du moins possible.   Il attachait un regard perçant sur le fermier, qui soutenait cette investigation avec beaucoup d'impudence ou de candeur.

— Je veux en avoir le cœur net, se dit Germain, et, conte- 5
nant son indignation :

— C'est une fille de chez nous, dit-il ; je la connais : elle doit
être par ici. . . . Avançons ensemble . . . nous la retrouve-
rons sans doute.

— Vous avez raison, dit le fermier.   Avançons . . . et pour- 10
tant, si nous ne la trouvons pas au bout de l'avenue, j'y renonce
. . . car il faut que je prenne le chemin d'Ardentes.

— Oh ! pensa le laboureur, je ne te quitte pas ! quand même
je devrais tourner pendant vingt-quatre heures avec toi autour de
la Mare au Diable !   15

— Attendez ! dit tout à coup Germain en fixant des yeux une
touffe de genêts qui s'agitait singulièrement : holà ! holà ! Petit-
Pierre, est-ce toi, mon enfant ?

L'enfant, reconnaissant la voix de son père, sortit des genêts
en sautant comme un chevreuil : mais quand il le vit dans la 20
compagnie du fermier, il s'arrêta comme effrayé et resta incer-
tain.

— Viens, mon Pierre ! viens, c'est moi ! s'écria le laboureur
en courant après lui, et en sautant à bas de son cheval pour le
prendre dans ses bras : et où est la petite Marie ?   25

— Elle est là, qui se cache, parce qu'elle a peur de ce vilain
homme noir, et moi aussi.

— Eh ! sois tranquille ; je suis là. . . . Marie ! Marie ! c'est
moi !

Marie approcha en rampant, et dès qu'elle vit Germain, que 30
le fermier suivait de près, elle courut se jeter dans ses bras ; et,
s'attachant à lui comme une fille à son père :

— Ah ! mon brave Germain, lui dit-elle, vous me défendrez :
je n'ai pas peur avec vous.

Germain eut le frisson.   Il regarda Marie : elle était pâle, ses 35
vêtements étaient déchirés par les épines où elle avait couru,

cherchant le fourré, comme une biche traquée par les chasseurs.
Mais il n'y avait ni honte ni désespoir sur sa figure.

— Ton maître veut te parler, lui dit-il, en observant toujours
ses traits.

5   — Mon maître? dit-elle fièrement ; cet homme-là n'est pas
mon maître et ne le sera jamais ! . . . C'est vous, Germain, qui
êtes mon maître.   Je veux que vous me remeniez avec vous. . . .
Je vous servirai pour rien !

Le fermier s'était avancé, feignant un peu d'impatience.

10   — Hé ! la petite, dit-il, vous avez oublié chez nous quelque
chose que je vous rapporte.

— Nenni, monsieur, répondit la petite Marie, je n'ai rien oublié, et je n'ai rien à vous demander . . .

— Écoutez un peu ici, reprit le fermier, j'ai quelque chose à
15 vous dire, moi ! . . . Allons ! . . . n'ayez pas peur . . . deux
mots seulement. . . .

— Vous pouvez les dire tout haut . . . je n'ai pas de secrets
avec vous.

— Venez prendre votre argent, au moins.

20   — Mon argent?   Vous ne me devez rien, Dieu merci !

— Je m'en doutais bien, dit Germain à demi-voix ; mais c'est
égal, Marie . . . écoute ce qu'il a à te dire . . . car, moi, je
suis curieux de le savoir.   Tu me le diras après : j'ai mes raisons pour ça.   Va auprès de son cheval . . . je ne te perds pas
25 de vue.

Marie fit trois pas vers le fermier, qui lui dit, en se penchant
sur le pommeau de sa selle et en baissant la voix :

— Petite, voilà un beau louis d'or pour toi ! tu ne diras rien,
entends-tu ?   Je dirai que je t'ai trouvée trop faible pour l'ou-
30 vrage de ma ferme. . . . Et qu'il ne soit plus question de ça. . . .
Je repasserai par chez vous un de ces jours ; et si tu n'as rien
dit, je te donnerai encore quelque chose. . . . Et puis, si tu es
plus raisonnable, tu n'as qu'à parler : je te ramènerai . . .
Quel cadeau veux-tu que je te porte ?

35   — Voilà, monsieur, le cadeau que je vous fais, moi ! répondit

à voix haute la petite Marie, en lui jetant son louis d'or au visage, et même assez rudement. Je vous remercie beaucoup, et vous prie, quand vous repasserez par chez nous, de me faire avertir : tous les garçons de mon endroit iront vous re- cevoir, parce que, chez nous, on aime fort les bourgeois qui 5 veulent en conter aux pauvres filles ! Vous verrez ça, on vous attendra.

— Vous êtes une menteuse et une sotte langue ! dit le fer- mier courroucé, en levant son bâton d'un air de menace. Vous voudriez faire croire ce qui n'est point, mais vous ne me tirerez 10 pas d'argent : on connaît vos pareilles !

Marie s'était reculée effrayée ; mais Germain s'était élancé à la bride du cheval du fermier, et, la secouant avec force :

— C'est entendu, maintenant ! dit-il, et nous voyons assez de quoi il retourne. . . . A terre ! mon homme ! à terre ! et cau- 15 sons tous les deux !

Le fermier ne se souciait pas d'engager la partie : il éperonna son cheval pour se dégager, et voulut frapper de son bâton les mains du laboureur pour lui faire lâcher prise ; mais Germain esquiva le coup, et, lui prenant la jambe, il le désarçonna et le 20 fit tomber sur la fougère, où il le terrassa, quoique le fermier se fût remis sur ses pieds et se défendît vigoureusement. Quand il le tint sous lui :

— Homme de peu de cœur ! lui dit Germain, je pourrais te rouer de coups si je voulais ! Mais je n'aime pas à faire du mal, 25 et d'ailleurs aucune correction n'amenderait ta conscience. . . . Cependant, tu ne bougeras pas d'ici que tu n'aies demandé par- don, à genoux, à cette jeune fille.

Le fermier, qui connaissait ces sortes d'affaires, voulut pren- dre la chose en plaisanterie. Il prétendit que son péché n'était 30 pas si grave, puisqu'il ne consistait qu'en paroles, et qu'il voulait bien demander pardon, à condition qu'il embrasserait la fille, que l'on irait boire une pinte de vin au plus prochain cabaret, et qu'on se quitterait bons amis.

— Tu me fais peine ! lui répondit Germain en lui poussant la 35 face contre terre, et j'ai hâte de ne plus voir ta méchante mine.

MARIN UNION
JUNIOR COLLEGE

Tiens, rougis si tu peux, et tâche de prendre le chemin des *affronteux* [1] quand tu passeras par chez nous.

Il ramassa le bâton de houx du fermier, le brisa sur son genou
pour lui montrer la force de ses poignets, et en jeta les morceaux
5 au loin avec mépris.

Puis, prenant d'une main son fils, et de l'autre la petite Marie,
il s'éloigna tout tremblant d'indignation.

XV. — LE RETOUR À LA FERME.

Au bout d'un quart d'heure ils avaient franchi les brandes.
10 Ils trottaient sur la grand'route, et la Grise hennissait à chaque
objet de sa connaissance.   Petit-Pierre racontait à son père ce
qu'il avait pu comprendre dans ce qui s'était passé.

— Quand nous sommes arrivés, dit-il, cet *homme-là* est venu
pour parler à *ma Marie* dans la bergerie où nous avons été tout
15 de suite, pour voir les beaux moutons.   Moi, j'étais monté dans
la crèche pour jouer, et cet *homme-là* ne me voyait pas.   Alors
il a dit bonjour à ma Marie, et il l'a embrassée.

— Tu t'es laissé embrasser, Marie? dit Germain tout tremblant de colère.

20 — J'ai cru que c'était une honnêteté, une coutume de l'endroit aux arrivées, comme, chez vous, la grand'mère embrasse les
jeunes filles qui entrent à son service, pour leur faire voir qu'elle
les adopte et qu'elle leur sera comme une mère.

— Et puis alors, reprit petit Pierre, qui était fier d'avoir à
25 raconter une aventure, cet *homme-là* t'a dit quelque chose de
vilain, quelque chose que tu m'as dit de ne jamais répéter et de
ne pas m'en souvenir : aussi je l'ai oublié bien vite.   Cependant, si mon père veut que je lui dise ce que c'était . . .

— Non, mon Pierre, je ne veux pas l'entendre, et je veux que
30 tu ne t'en souviennes jamais.

---

[1] C'est le chemin qui détourne de la rue principale à l'entrée des vil-
lages et les côtoie à l'extérieur.   On suppose que les gens qui craignent de
recevoir quelque affront mérité le prennent pour éviter d'être vus.

— En ce cas, je vas l'oublier encore, reprit l'enfant. Et puis
alors, cet *homme-là* a eu l'air de se fâcher parce que Marie lui
disait qu'elle s'en irait. Il lui a dit qu'il lui donnerait tout ce
qu'elle voudrait, cent francs ! Et ma Marie s'est fâchée aussi.
Alors il est venu contre elle, comme s'il voulait lui faire du mal. 5
J'ai eu peur, et je me suis jeté contre Marie en criant. Alors cet
homme-là a dit comme ça : "Qu'est-ce que c'est que ça ? d'où
sort cet enfant-là ? Mettez-moi ça dehors." Et il a levé son
bâton pour me battre. Mais ma Marie l'a empêché, et elle lui a
dit comme ça : "Nous causerons plus tard, monsieur ; à présent 10
il faut que je conduise cet enfant-là à Fourche, et puis je re-
viendrai." Et aussitôt qu'il a été sorti de la bergerie, ma Marie
m'a dit comme ça : "Sauvons-nous, mon Pierre, allons-nous-en
d'ici bien vite, car cet homme-là est méchant, et il ne nous ferait
que du mal." Alors nous avons passé derrière les granges, nous 15
avons passé un petit pré, et nous avons été à Fourche pour te
chercher. Mais tu n'y étais pas et on n'a pas voulu nous laisser
t'attendre. Et alors cet *homme-là*, qui était monté sur son cheval noir, est venu derrière nous, et nous nous sommes sauvés plus
loin, et puis nous avons été nous cacher dans le bois. Et puis il 20
y est venu aussi, et quand nous l'entendions venir, nous nous ca-
chions. Et puis, quand il avait passé nous recommencions à
courir pour nous en aller chez nous ; et puis enfin tu es venu, et
tu nous a trouvés ; et voilà comme tout ça est arrivé. N'est-ce
pas, ma Marie, que je n'ai rien oublié ? 25

— Non, mon Pierre, et ça est la vérité. A présent, Germain,
vous rendrez témoignage pour moi, et vous direz à tout le monde
de chez nous que si je n'ai pas pu rester là-bas, ce n'est pas faute
de courage et d'envie de travailler.

— Et toi, Marie, dit Germain, je te prierai de te deman- 30
der à toi-même si, quand il s'agit de défendre une femme et
de punir un insolent, un homme de vingt-huit ans n'est pas
trop vieux ? Je voudrais un peu savoir si Bastien, ou tout
autre joli garçon, riche de dix ans moins que moi, n'aurait
pas été écrasé par cet *homme-là*, comme dit Petit-Pierre : qu'en 35
penses-tu ?

— Je pense, Germain, que vous m'avez rendu un grand service, et que je vous en remercierai toute ma vie.

— C'est là tout ?

— Mon petit père, dit l'enfant, je n'ai pas pensé à dire à la petite
5 Marie ce que je t'avais promis. Je n'ai pas eu le temps, mais je
le lui dirai à la maison, et je le dirai aussi à ma grand'mère.

Cette promesse de son enfant donna enfin à réfléchir à Germain. Il s'agissait maintenant de s'expliquer avec ses parents,
et, en leur disant ses griefs contre la veuve Guérin, de ne pas leur
10 dire quelles autres idées l'avaient disposé à tant de clairvoyance
et de sévérité. Quand on est heureux et fier, le courage de
faire accepter son bonheur aux autres paraît facile ; mais être
rebuté d'un côté, blâmé de l'autre, ne fait pas une situation fort
agréable.

15 Heureusement, le petit Pierre dormait quand ils arrivèrent à
la métairie, et Germain le déposa, sans l'éveiller, sur son lit.
Puis il entra sur toutes les explications qu'il put donner. Le père
Maurice, assis sur son escabeau à trois pieds, à l'entrée de la
maison, l'écouta gravement, et, quoiqu'il fût mécontent du ré-
20 sultat de ce voyage, lorsque Germain, en racontant le système de
coquetterie de la veuve, demanda à son beau-père s'il avait le
temps d'aller les cinquante-deux dimanches de l'année faire sa
cour, pour risquer d'être renvoyé au bout de l'an, le beau-père
répondit, en inclinant la tête en signe d'adhésion : " Tu n'as pas
25 tort, Germain ; ça ne se pouvait pas." Et ensuite, quand Germain raconta comme quoi il avait été forcé de ramener la petite
Marie au plus vite pour la soustraire aux insultes, peut-être aux
violences d'un indigne maître, le père Maurice approuva encore
de la tête en disant : " Tu n'as pas eu tort, Germain ; ça se
30 devait."

Quand Germain eut achevé son récit et donné toutes ses
raisons, le beau-père et la belle-mère firent simultanément un
gros soupir de résignation, en se regardant. Puis, le chef de
famille se leva en disant : " Allons ! que la volonté de Dieu soit
35 faite ! l'amitié ne se commande pas !"

— Venez souper, Germain. dit la belle-mère. Il est malheureux que ça ne se soit pas mieux arrangé ; mais, enfin, Dieu ne le voulait pas, à ce qu'il paraît. Il faudra voir ailleurs.

— Oui, ajouta le vieillard, comme dit ma femme, on verra ailleurs.

Il n'y eut pas d'autre bruit à la maison, et quand, le lendemain, 5 le petit Pierre se leva avec les alouettes, au point du jour, n'étant plus excité par les événements extraordinaires des jours précédents, il retomba dans l'apathie des petits paysans de son âge, oublia tout ce qui lui avait trotté par la tête, et ne songea plus qu'à jouer avec ses frères et à *faire l'homme* avec les bœufs et les 10 chevaux.

Germain essaya d'oublier aussi, en se replongeant dans le travail ; mais il devint si triste et si distrait, que tout le monde le remarqua. Il ne parlait pas à la petite Marie, il ne la regardait même pas ; et pourtant si on lui eût demandé dans quel pré elle 15 était et par quel chemin elle avait passé, il n'était point d'heure du jour où il n'eût pu le dire s'il avait voulu répondre. Il n'avait pas osé demander à ses parents de la recueillir à la ferme pendant l'hiver, et pourtant il savait bien qu'elle devait souffrir de la misère. Mais elle n'en souffrit pas, et la mère Guillette ne put 20 jamais comprendre comment sa petite provision de bois ne diminuait point, et comment son hangar se trouvait rempli le matin lorsqu'elle l'avait laissé presque vide le soir. Il en fut de même du blé et des pommes de terre. Quelqu'un passait par la lucarne du grenier, et vidait un sac sur le plancher sans réveiller 25 personne et sans laisser de traces. La vieille en fut à la fois inquiète et réjouie ; elle engagea sa fille à n'en point parler, disant que si on venait à savoir le miracle qui se faisait chez elle, on la tiendrait pour sorcière. Elle pensait bien que le diable s'en mêlait, mais elle n'était pas pressée de se brouiller avec lui en ap- 30 pelant les exorcismes du curé sur sa maison ; elle se disait qu'il serait temps, lorsque Satan viendrait lui demander son âme en retour de ses bienfaits.

La petite Marie comprenait mieux la vérité, mais elle n'osait en parler à Germain, de peur de le voir revenir à son idée de 35 mariage, et elle feignait avec lui de ne s'apercevoir de rien.

XVI. — LA MÈRE MAURICE.

Un jour la mère Maurice se trouvant seule dans le verger avec Germain, lui dit d'un air d'amitié : " Mon pauvre gendre, je crois que vous n'êtes pas bien. Vous ne mangez pas aussi bien qu'à l'ordinaire, vous ne riez plus, vous causez de moins en moins. Est-ce que quelqu'un de chez nous, ou nous-mêmes, sans le savoir et sans le vouloir, vous avons fait de la peine ?

— Non, ma mère, répondit Germain, vous avez toujours été aussi bonne pour moi que la mère qui m'a mis au monde, et je serais un ingrat si je me plaignais de vous, ou de votre mari, ou de personne de la maison.

— En ce cas, mon enfant, c'est le chagrin de la mort de votre femme qui vous revient. Au lieu de s'en aller avec le temps, votre ennui empire, et il faut absolument faire ce que votre beau-père vous a dit fort sagement : il faut vous remarier.

— Oui, ma mère, ce serait aussi mon idée ; mais les femmes que vous m'avez conseillé de rechercher ne me conviennent pas. Quand je les vois, au lieu d'oublier ma Catherine, j'y pense davantage.

— C'est qu'apparemment, Germain, nous n'avons pas su deviner votre goût. Il faut donc que vous nous aidiez, en nous disant la vérité. Sans doute il y a quelque part une femme qui est faite pour vous, car le bon Dieu ne fait personne sans lui réserver son bonheur dans une autre personne. Si donc vous savez où la prendre, cette femme qu'il vous faut, prenez-la ; et qu'elle soit belle ou laide, jeune ou vieille, riche ou pauvre, nous sommes décidés, mon vieux et moi, à vous donner consentement ; car nous sommes fatigués de vous voir triste, et nous ne pouvons pas vivre tranquilles si vous ne l'êtes point.

— Ma mère, vous êtes aussi bonne que le bon Dieu, et mon père pareillement, répondit Germain ; mais votre compassion ne peut pas porter remède à mes ennuis : la fille que je voudrais ne veut point de moi.

— C'est donc qu'elle est trop jeune? S'attacher à une jeunesse est déraison pour vous.

— Eh bien! oui, bonne mère, j'ai cette folie de m'être attaché à une jeunesse, et je m'en blâme. Je fais mon possible pour n'y plus penser; mais que je travaille ou que je me repose, que je sois à la messe ou dans mon lit, avec mes enfants ou avec vous, j'y pense toujours, je ne peux penser à autre chose.

— Alors c'est comme un sort qu'on vous a jeté, Germain? Il n'y a à ça qu'un remède, c'est que cette fille change d'idée et vous écoute. Il faudra donc que je m'en mêle, et que je voie si c'est possible. Vous allez me dire où elle est et comment on l'appelle.

— Hélas! ma chère mère, je n'ose pas, dit Germain, parce que vous allez vous moquer de moi.

— Je ne me moquerai pas de vous, Germain, parce que vous êtes dans la peine et que je ne veux pas vous y mettre davantage. Serait-ce point la Fanchette?

— Non, ma mère, ça ne l'est point.

— Ou la Rosette?

— Non.

— Dites donc, car je n'en finirai pas, s'il faut que je nomme toutes les filles du pays.

Germain baissa la tête et ne put se décider à répondre.

— Allons! dit la mère Maurice, je vous laisse tranquille pour aujourd'hui, Germain; peut-être que demain vous serez plus confiant avec moi, ou bien que votre belle-sœur sera plus adroite à vous questionner.

Et elle ramassa sa corbeille pour aller étendre son linge sur les buissons.

Germain fit comme les enfants qui se décident quand ils voient qu'on ne s'occupera plus d'eux. Il suivit sa belle-mère, et lui nomma enfin en tremblant *la petite Marie à la Guillette*.

Grande fut la surprise de la mère Maurice: c'était la dernière à laquelle elle eût songé. Mais elle eut la délicatesse de ne point se récrier, et de faire mentalement ses commentaires. Puis, voyant que son silence accablait Germain, elle lui tendit sa

corbeille en lui disant : — Alors est-ce une raison pour ne point
m'aider dans mon travail ?   Portez donc cette charge, et venez
parler avec moi.   Avez-vous bien réfléchi, Germain ? êtes-vous
bien décidé ?

5   — Hélas ! ma chère mère, ce n'est pas comme cela qu'il faut
parler : je serais décidé si je pouvais réussir ; mais comme je
ne serais pas écouté, je ne suis décidé qu'à m'en guérir si je
peux.

   — Et si vous ne pouvez pas ?

10   — Toute chose a son terme, mère Maurice : quand le cheval
est trop chargé, il tombe ; et quand le bœuf n'a rien à manger,
il meurt.

   — C'est donc à dire que vous mourrez, si vous ne réussissez
point ?   A Dieu ne plaise, Germain !   Je n'aime pas qu'un
15 homme comme vous dise de ces choses-là, parce que quand il
les dit il les pense.   Vous êtes d'un grand courage, et la faiblesse
est dangereuse chez les gens forts.   Allons, prenez de l'espérance.   Je ne conçois pas qu'une fille dans la misère, et à laquelle vous faites beaucoup d'honneur en la recherchant, puisse
20 vous refuser.

   — C'est pourtant la vérité, elle me refuse.

   — Et quelles raisons vous en donne-t-elle ?

   — Que vous lui avez toujours fait du bien, que sa famille doit
beaucoup à la vôtre, et qu'elle ne veut point vous déplaire en me
25 détournant d'un mariage riche.

   — Si elle dit cela, elle prouve de bons sentiments, et c'est
honnête de sa part.   Mais en vous disant cela, Germain, elle ne
vous guérit point, car elle vous dit sans doute qu'elle vous aime,
et qu'elle vous épouserait si nous le voulions ?

30   — Voilà le pire ! elle dit que son cœur n'est point porté vers
moi.

   — Si elle dit ce qu'elle ne pense pas, pour mieux vous éloigner d'elle, c'est une enfant qui mérite que nous l'aimions et
que nous passions par-dessus sa jeunesse à cause de sa grande
35 raison.

   — Oui ? dit Germain, frappé d'une espérance qu'il n'avait pas encore conçue : ça serait bien sage et bien *comme il faut* de sa part ! mais si elle est si raisonnable, je crains bien que c'est à cause que je lui déplais.

— Germain, dit la mère Maurice, vous allez me promettre de vous tenir tranquille pendant toute la semaine, de ne vous point 5 tourmenter, de manger, de dormir, et d'être gai comme autrefois. Moi, je parlerai à mon vieux, et si je le fais consentir, vous saurez alors le vrai sentiment de la fille à votre endroit.

Germain promit, et la semaine se passa sans que le père Maurice lui dît un mot en particulier et parût se douter de rien. Le 10 laboureur s'efforça de paraître tranquille, mais il était toujours plus pâle et plus tourmenté.

XVII. — LA PETITE MARIE.

Enfin, le dimanche matin, au sortir de la messe, sa belle-mère lui demanda ce qu'il avait obtenu de sa bonne amie depuis la 15 conversation dans le verger.

— Mais, rien du tout, répondit-il. Je ne lui ai pas parlé.

— Comment donc voulez-vous la persuader si vous ne lui parlez pas ?

— Je ne lui ai parlé qu'une fois, répondit Germain. C'est 20 quand nous avons été ensemble à Fourche ; et, depuis ce temps-là, je ne lui ai pas dit un seul mot. Son refus m'a fait tant de peine que j'aime mieux ne pas l'entendre recommencer à me dire qu'elle ne m'aime pas.

— Eh bien, mon fils, il faut lui parler maintenant ; votre beau-25 père vous autorise à le faire. Allez, décidez-vous ! je vous le dis, et, s'il le faut, je le veux ; car vous ne pouvez pas rester dans ce doute-là.

Germain obéit. Il arriva chez la Guillette, la tête basse et l'air accablé. La petite Marie était seule au coin du feu, si pensive 30 qu'elle n'entendit pas venir Germain. Quand elle le vit devant elle, elle sauta de surprise sur sa chaise, et devint toute rouge.

— Petite Marie, lui dit-il en s'asseyant auprès d'elle, je viens

te faire de la peine et t'ennuyer, je le sais bien : mais *l'homme
et la femme de chez nous* (désignant ainsi, selon l'usage, les chefs
de famille) veulent que je te parle et que je te demande de
m'épouser.   Tu ne le veux pas toi, je m'y attends.

5   — Germain, répondit la petite Marie, c'est donc décidé que
vous m'aimez ?

— Ça te fâche, je le sais, mais ce n'est pas ma faute : si tu
pouvais changer d'avis, je serais trop content, et sans doute je
ne mérite pas que cela soit.   Voyons, regarde-moi, Marie, je suis
10 donc bien affreux ?

— Non, Germain, répondit-elle en souriant, vous êtes plus
beau que moi.

— Ne te moque pas ; regarde-moi avec indulgence ; il ne me
manque encore ni un cheveu ni une dent.   Mes yeux te disent
15 que je t'aime.   Regarde-moi donc dans les yeux, ça y est écrit,
et toute fille sait lire dans cette écriture-là.

Marie regarda dans les yeux de Germain avec son assurance
enjouée : puis, tout à coup, elle détourna la tête et se mit à
trembler.

20   — Ah ! mon Dieu ! je te fais peur, dit Germain, tu me regar-
des comme si j'étais le fermier des Ormeaux.   Ne me crains pas,
je t'en prie, cela me fait trop de mal.   Je ne te dirai pas de
mauvaises paroles, moi ; je ne t'embrasserai pas malgré toi, et
quand tu voudras que je m'en aille, tu n'auras qu'à me montrer
25 la porte.   Voyons, faut-il que je sorte pour que tu finisses de
trembler ?

Marie tendit la main au laboureur, mais sans détourner sa tête
penchée vers le foyer, et sans dire un mot.

— Je comprends, dit Germain ; tu me plains, car tu es bonne ;
30 tu es fâchée de me rendre malheureux : mais tu ne peux pourtant pas m'aimer ?

— Pourquoi me dites-vous de ces choses-là, Germain ? répondit enfin la petite Marie, vous voulez donc me faire pleurer ?

— Pauvre petite fille, tu as bon cœur, je le sais ; mais tu ne
35 m'aimes pas, et tu me caches ta figure parce que tu crains de
me laisser voir ton déplaisir et ta répugnance.   Et moi ! je n'ose

pas seulement te serrer la main ! Dans le bois, quand mon fils dormait, et que tu dormais aussi, j'ai failli t'embrasser tout doucement. Mais je serais mort de honte plutôt que de te le demander, et j'ai autant souffert dans cette nuit-là qu'un homme qui brûlerait à petit feu. Depuis ce temps-là j'ai rêvé à toi toutes 5 les nuits. Ah ! comme je t'embrassais, Marie ! Mais toi, pendant ce temps-là, tu dormais sans rêver. Et, à présent, sais-tu ce que je pense ? c'est que si tu te retournais pour me regarder avec les yeux que j'ai pour toi, et si tu approchais ton visage du mien, je crois que j'en tomberais mort de joie. Et toi, tu penses 10 que si pareille chose t'arrivait tu en mourrais de colère et de honte !

Germain parlait comme dans un rêve sans entendre ce qu'il disait. La petite Marie tremblait toujours ; mais comme il tremblait encore davantage, il ne s'en apercevait plus. Tout à coup 15 elle se retourna ; elle était toute en larmes et le regardait d'un air de reproche. Le pauvre laboureur crut que c'était le dernier coup, et, sans attendre son arrêt, il se leva pour partir ; mais la jeune fille l'arrêta en l'entourant de ses deux bras, et, cachant sa tête dans son sein : — Ah ! Germain, lui dit-elle en sanglotant, 20 vous n'avez donc pas deviné que je vous aime ?

Germain serait devenu fou, si son fils qui le cherchait et qui entra dans la chaumière au grand galop sur un bâton, avec sa petite sœur en croupe qui fouettait avec une branche d'osier ce coursier imaginaire, ne l'eût rappelé à lui-même. Il le souleva 25 dans ses bras, et le mettant dans ceux de sa fiancée :

— Tiens, lui dit-il, tu as fait plus d'un heureux en m'aimant !

NOTES.

☞ *The figures in heavy type refer to the pages of the text, those in plain type to the lines of the page. Contiguous lines are sometimes grouped together in the same paragraph.*

CHAPTER I.

1.—Note. 1. Title: The Devil's Pool, or, as sometimes rendered, The Haunted Pool.

6. In modern orthography: **visage, usage, gagnerais, voici.** The lines have been translated thus:

> By the sweat of thy weary face
> Thou shalt maintain thy wretched life
> After labor long and strife,
> See! Death calls thee to thy place.

—**usaige** is here *wearing, exhaustion.*

8. **Holbein.** Hans Holbein the Younger, a celebrated German painter and engraver (1497–1554, though both dates are disputed). The "Composition" referred to is one of a celebrated series of wood-cuts known as "The Dance of Death," designed by Holbein probably at Basel, before his removal to England in 1526, but first collected and published in 1538. The series is greatly admired and has been frequently reproduced.*

18. **de valet de charrue,** *as plow-driver.* The term is further explained below, p. 8. Now, with our improved plows such service is not usual. But the old proverb says:

> He who by the plow would thrive
> Himself must either hold or drive.

2.—6. **Lazare,** Lazarus—of the Bible. The idea is, that Death hovers, an unseen specter, near all the scenes of life, but for the good he has no terrors.

---

* A pretty and cheap copy has been recently issued, with Introductory Note and Poem by Austin Dobson (London, George Bell & Sons, 1898). This text, for *gagnerois*, has *gaigneras*, which makes the reading easier.

9. **stoïcienne,** *stoic.*—The Stoic School of Philosophy taught indifference to pleasure or pain—here, the vanity of pleasure.—**demi-païen,** *semi-pagan;* that is, still colored by pagan ideas.—**la renaissance,** the "Renascence" or "Revival of Learning" in the sixteenth century.

11. **y trouvent-elles leur compte,** *do they find satisfaction in it?*

27. **n'avons plus affaire à,** *have no longer to do with* (affaire = à faire).

35. **qu'il se réjouisse,** dep. on il faut: *The plowman must know . . . and . . . not rejoice that death*, etc.

3.—8. **peut être du,** *may belong to.*—**en peignant**—the subject is found in **leur**: *when they paint.*

14. **la danse macabre,** or **danse des morts.**—The Dance Macaber, or Dance of Death—the subject of Holbein's works, above referred to. The idea was a favorite theme of mediæval art. The origin of the term *macabre* is variously explained, and is, perhaps, unknown.

32. **jacquerie.** A term originally applied to the insurrection of the French peasantry in 1358, based on the name Jacques Bonhomme (Johnny Goodfellow), applied in scorn to the common people—now used to designate any uprising of the lower classes.—The phrase **mauvais riches** may be rendered *plutocrats.*—**en détail,** *by degrees, step by step.*

36. **leur faisant payer,** *making them pay for.* Note the idiomatic forms.

4.—3. **Albrecht** or Albert **Dürer** (Nuremberg, 1471–1528), one of the most celebrated of German painters and engravers.—**Michael Angelo Buonarotti** (1474–1563), celebrated Italian painter, sculptor, and architect—perhaps the most gifted artist of all ages.—**Jacques Callot,** French painter and engraver (1593–1635), famous for graphic illustrations of actual life.—**Francesco Goya y Lucientes,** an eminent Spanish painter (1746–1828).

7. **mettre à nu,** to lay bare, expose (nakedly).—**mettre à la mode,** l. 11, to bring into fashion—make fashionable.

12. **à effet dramatique,** *dramatically described.*

22. **je ne lui ferais pas un reproche,** *I should not reproach him for embellishing,* etc. Note the thought expressed here and in the following lines. Nowhere has the true conception of art been more beautifully defined. The author thus defines also her own place as an artist in literature. Elsewhere she says: L'art me semble une aspiration éternellement impuissante et incomplète.

24. The *Vicar of Wakefield*, by Oliver Goldsmith—a work more popular, if possible, abroad than at home.—Le **Paysan Perverti**, a licentious book by Restif de la Bretonne (1734–1806).—**Les Liaisons Dangereuses**, a celebrated but immoral work by Pierre de Laclos (1741–1803), published in 1782. Both of these books portray the corruptions of social life in France.

31. **je me suis laissé entraîner**, *have allowed myself to be drawn into*. Note the idiomatic forms.

CHAPTER II.

5.—2. **Je venais de regarder**, *I had just been looking at*, etc. Note different sense in **vient chercher**, below; also **venir à**, hereafter.

6. **se fait arracher**, infin. idiom, as note **4**, 31 ; but **se** is here indirect object: makes wring—causes to be wrung—from itself; that is, *forces us to wring from it*.

26. **ces sacs maudits** only repeats, emphatically, the object **que**.

34. **possédant la science**, etc., means here not scientific knowledge, but, working with an intelligent purpose.

6.—18. **Virgile**, Roman poet of the Augustan age. The original is:

> "O fortunatos nimium, sua si bona norint,
> Agricolas." (Georgics, Book II, 458–59.)

—**pas si difficile . . . qu'on doive**, *not so difficult . . . as that it need be*, etc.—the subj. here following a negative.

24. **à l'état**, *in the condition*—or *form*—*of instinct*. Note subj. *soit*.—**dès aujourd'hui**, *for the present day;* that is, from immediate want.

30. **exclusif** has here an active sense : *inconsistent with*.

33. **plus que**, both limit **ne**: *let it not be said . . . that there will no longer be any but poor workmen*, etc.

36. **n'eût-il pas**, a frequent form of condition, or concession, omitting **si**; as in English: *had he not*, for *if*, or *though*, *he had not*.

7.—4. **en train de**, *in the act of;* sometimes, *about to*—implies continuous action.—**L'arène**, *the scene.*—**brun vigoureux**, l. 8, *deep* —or *rich*—*brown*.

15. **areau**, provincial, *plow* (Lat. *aratrum*). Note the idiom **à la robe**, *with a coat* (color) *of pale yellow.*—**rabattues**, l. 18, *drooping*.

23. **taxent de fable**, *treat as fiction*.

27. Note **en grattant**, expressing continuous action, *while*, etc., the other participles being without **en**.

32. **Il faudrait pouvoir,** *we ought to be able to fatten him for slaughter.*

8.—1. **forces eprouvées et soutenues,** *tried and sustained strength.*

9. **à robe sombre melée,** etc., *whose dark coats were streaked with tawny black, with gleams of red.*—**sentent,** smell or taste of; here, *recall.*

24. **peu acéré**—with frequent euphemistic sense of **peu** = *quite blunt.*—**en imprimant,** l. 26, *shaking the beam violently.*

31. **se seraient jetés de coté,** *would have sprung aside.*—**maintenu,** l. 33, *restrained.*

9.—4. **et que,** *and (when)*—**que** repeating **quand.**

15. **ont dû être,** *must have been.*

22. **une science à part,** *a special science.*—**à point,** *at the right moment.*

27. **ce n'en est pas moins,** *it is none the less,* i.e., not the less *for that* (**en**).

31. **fin laboureur** has a technical sense: *a master plowman.*

10.—2. **monte d'un quart de ton,** etc., *rises by a quarter tone, passing systematically out of tune.*

11. **quadrige** (Lat. *quadrigæ,* a span of four horses); here, **a** double team (of four oxen each): *four yoke of oxen.*

14. **C'est alors,** *it was then*—idiomatic tense.

24. **sans que . . . cessassent,** *without my eyes ceasing.* Note the subj. idiom. In **je le serais,** above, **le** refers to **heureux** = *so.*

32. **qu'ils ne soient pas,** *that they are not,*—the subj. corresponding to the negative implied in **Dieu me préserve de.**

11.—2. **pour l'avoir payée**—**pour** in sense of *for, on account of: because they have paid for it.*

7. **qui lui seraient bien dues**—which might well be due him, i.e., *which might well be his.*—**à lui** repeats, for emphasis.

16. **où vous êtes,** *in which you are involved.* Note the idiomatic **vous autres,** for *you,* emphatic; also **chez qui,** *in whom.*

21. **en faire ressortir**—to make stand out: *to bring out its sweet and touching aspects.*

28. **s'était rendu compte,** *had reflected upon.*—Above, **intéresser is** used absolutely: *could arouse interest in,* etc.

12.—3. **Le sillon,** etc., here in metaphorical sense, suggested by the preceding line, meaning: Is not the life of the plowman worth as much as, etc.

8. **ne . . . guère** is playfully ironical : *will care little.*

CHAPTER III.

13. **Voilà,** etc., requires idiomatic change, such as : It will soon be two years since you were left a widower by, etc. Similarly, **reprendre femme,** *take another wife;* **rentrer en menage,** *marry again.* Let the student note idiomatic forms, and translate always *idiomatically.*

19. **pique les bœufs,** *drives the oxen,* as described on p. 8.—In **le devaient, le** = les aimer—in such (expletive) use often not translated.

24. **en—un tout petit.** The antecedent of **en** is suggested by the context: *another very small child.*

31. **se sauve du côté de,** *runs off towards.*—**un sang vif,** *a lively fellow.* **Ça** is applied to persons familiarly; so, **ma vieille,** my old woman.

13.—7. **Tu dois** has for object **de te marier;** English: *you owe it to,* etc.—the English here supplying the expletive, *it.*

14. Note the forms **qui on** and **qui l'on,** to avoid repetition.—**Une brave femme,** *a fine woman.*—**père et mère** are treated as if a compound = parents.

23. **en passant,** etc., *by dying instead of her.*—**à l'heure qu'il est,** idiom: *at the present hour.*

33. **Il s'agit donc de,** *the question is, then, to,* etc. Note the subj. **qui soit,** *who shall be.* We may render **donner à connaître** by *make known.*

14.—1. **lui sauras gré,** *will be grateful to her* (**gré** = Lat. *gratum*).

8. **une jeunesse** is here provincial and familiar, for *a young girl.* In the next line **jeunesse** has its usual sense.

18. **A Dieu ne plaise,** elliptical subj. idiom: *God forbid!*

23. **la Louise,** etc., familiar; the article here implies that the persons are well known.

35. **ferait . . . ton affaire,** *would suit you.*

15.—1. **il faudra la faire faire exprès,** *we shall need to have her made expressly;* note the idiomatic forms.

5. **là** is here used as interjection, coaxingly: *come now!* Note the use of **quelqu'un,** l. 9, as indef. masc.; that is, without gender.

8. **Ni moi non plus,** elliptical : neither (do I), no more (than you do) = *nor I either.*

CHAPTER IV.

15. **de plus en plus**, idiom : *more and more.*—17. **ça**, familiar use.

21. **un bon sujet**, familiar phrase : *a good creature.*—**de grand cœur**, *warm-hearted*

25. **elle a bien**, etc., *she has landed property amounting probably to.*

31. **à tous les deux** repeats with emphasis the possessive sense of **votre** : *except the opinion of you two;* . . . *and that is what you must ask each other, on making acquaintance.*

33. **un peu mon parent**, *a little kin to me.*—**tu le connais bien**, *you know him, don't you?*—**bien** implying, doubtfully, an affirmative.

16.—2. **de cela**, *on that subject.*—**foires**, *fairs*—such as are common in country districts, and formerly more than now.

5. **tu t'y prenais bien**, *you managed it well.*

7. **comme tu te conduis bien**, *how well you have*, etc. Note the tense.

12. **où je sais qu'ils sont.** Compare note **11**, 16 ; literally, the good circumstances I know they are in; that is, what I know of their good circumstances.

21. **battaison**, provincial for **battage** : *threshing.*

28. **je ne m'y retrouverais**, *I should never find my way in them.*

34. **à chacun**, as note **15**, 31 ; *what comes to each of you.*—**une femme de tête**, l. 30, *a woman of sense*—" with a head on her."

17.—2. **à moi**, *of my own ;* **que** repeats **comme**, as note **9**, 4.

13. **leur font tout manger en procès**, *make them consume everything in lawsuits.*—**gens de loi**, *lawyers.*

19. **qu'il faut essaimer**, *and when the swarming must come* (as of bees) ; **que** = **et quand**, as note l. 2, above.—**une trentaine**, in the usual approximate sense : *about thirty.*

30. **à moins que** . . . **n'eût**, *unless your wife had some property in her own right.*—With **venais à**, compare note **5**, 2.

18.—2. **quelque courage**, etc.: *whatever courage we may employ ;* **y** refers to the general subject-matter, and (like *en*) is often untranslated.

3. **te faire agréer à**, *to make yourself agreeable to.*

6. **de lui plaire et qu'elle.** Note subj., after changed subject.

19. **du Magnier**, *near le Magnier*—proper name of place.—**de pays**, *distance ;* as we say, "across the country."

23. **a meilleur air**, *makes a better show.*—**de ma part**, l. 25, *from me* —as if sent by me.—**la journée de dimanche** means *all day Sunday.*

19.—3. **qu'il eût pu**, *that he could have rebelled*—note the subj.

5. **Il se passait,** etc. *There passed few days that he did not,* etc.—
se soustraire à, l. 8, *to escape from*—a frequent sense of indirect
object (Lat. dative).

9. **eût pu . . . en venant,** *might have . . . if it had come and taken
him by surprise*—where **en venant** supplies the condition.

16. **assez d'idées,** etc. Not ideas enough for them to combat each
other—that is, to oppose any definite argument against what had
been suggested.—**lui donnaient à penser,** *set him to thinking.*

20. **métairie;** here, *farm-house.* **Métairie** is properly a farm held
on shares (originally a half. Cf. English *moiety*). Below, **des
bâtiments** depends on **voisin.**—Note the fine touch of nature with
which the chapter concludes.

CHAPTER V.

20.—13. **les propos** is here *talk, gossip.*—**en train de causer.** See
note **7**, 4; here, *I was just talking.*

20. **Comme ça se trouve**—how that happens—*how lucky that is!*
—**m'arrange,** *suits me exactly.*—**je vas,** popular for **je vais.**

23. **nous le voulons,** *we will gladly do it.*—**aux Ormeaux,** l. 27: name
of a farm; as we say "The Oaks."

31. **entre en condition,** *go into service.*

35. **voilà que,** *now St. Martin's day is coming.*—**la (fête de) Saint
Jean,** St. John (Baptist)'s Day, June 24th; St. Martin's Day, No-
vember 11th. On these days farm servants were hired for the
half-year.

21.—2. **communal,** public pasture, "the common."—**pastoure,**
provincial for **pastourelle,** *shepherd-girl.*—**qu'il lui dit,** familiar
phrase, for **lui dit-il.**

8. **n'a pu se défendre,** *could not help thinking of it.*—**embarrassée,**
etc., *troubled about getting through the winter.*—**un grand mois,** l. 12,
a full month.

15. **à peine de quoi faire vivre,** *hardly enough to support.*—**en âge,**
etc.: *getting on in years—she is already going on sixteen.*

22. **ferais trouver,** help you to find; i.e. *supply them.*—**ça** is emphatic and familiar repetition; also **vrai,** familiar for **vraiment.**—
commence à peser—begins to weigh: *amounts to something.*

25. **le** = **sauvée,** as heretofore.—**Pour,** as 11, 2.—**se fait,** l. 27, *is
growing.*

31. **fille riche,** without art, in indefinite sense: *as any rich girl*

at the head of a large business can (possibly) be ; note the subj.; also that **et** falls out, as frequently in English, when the first adj. stands before the noun.

36. **que d'aller,** for subj., to avoid repetition of **que.**

22.—8. **le sort en est jeté,** phrase : the die is cast, i.e. *that's settled.*—**l'a fait demander** = *sent and asked for her* (**faire** as **15**, 1).

13. **tout à côté de,** *just next to.*—**domaine,** *farm.*—**à ce qu'on m'a dit,** *as I have been told.*

16. **Cela se doit,** *that is right.*

17. Note the idiom, **le voilà qui,** etc.—English participle : *there he is, coming;* or simply, *there he comes.*

18. **Dis-moi,** equivalent to : *see here.*—**à la mère G.,** in possess. sense—here familiar: *Mother G.'s little M.*—**s'en va bergère,** *is going as shepherd-girl.*

23. **notre monde à nous;** emphatic, as note **15**, 31. For **pareille chose** compare note **21**, 31: *such a thing.*

31. **il eût fallu que . . . fût.** Note the subjs. and translate idiomatically: *must have been,* etc.—**de force**—of a force, i.e., *strong enough.*

23.—5. **pour qu'il y songeât,** *for him to think of her.*—**à moins d'être,** *without being.* Note the modal idioms.

9. **eût cru . . . faire,** *would have thought she insulted him.* Note the infin. idiom.—**pour son compte, l. 12,** *on his own account.*

CHAPTER VI.

22. **faisant resonner,** etc.. *clanking her hopples.*—**enferges** is an old word, now provincial : the *hopple,* or *clog-chain,* by which horses at pasture are fettered to prevent their leaping fences.—**pré-long** means the *main pasture.*

33. **qu'il est adroit et câlin,** *how smart and coaxing he is !*

24.—1. **monsieur,** humorously: *the young gentleman got angry.*

5. **je me suis bien doutée,** *I strongly suspected . . . that he had been,* etc.; note the tense.—Below, l. 11, in **oui, qu'il est gentil, que** is redundant : *yes, he is*—with ellipsis, as note l. 31 below.

19. **de trop,** *in the way.*—**ne pouvait qu'être,** l. 22, could not but be—*could not help being received kindly.*

26. **n'y comprends rien,** *know nothing about it.*—**par faire voir,** *by showing.*

27. **Si fait,** *yes I do.*—**si** answers, instead of **oui,** to a negative question or implication.—Note that **allez pour vous marier** is quite different from **allez vous marier.**

31. **peut-ētre que,** often = **peut-être (il peut être que)** .. In **que si,** **si** stands for the affirmative sentence : *we must hope so* (that you will).

25.—5. **de plus aimables** belongs to **en:** *that none more lovely can be seen.*—**des petits anges**; note the article, as in other phrases. The words **commᴿode, terrible** are used humorously.

10. **si on le laissait faire,** *if he were let alone*—allowed to do it.

23. **à même de m'en repentir,** *ready to repent of it.*

31. **Tiens,** interjection: *see here!*—**que tu entres** is subj.: *that you come in a little while.*—**donne à penser,** l. 34, see note **19,** 16.

26.—1. **dite à la légère,** *spoken lightly.*

3. **m'en voudraient,** *would blame me for it.*—**comme ça,** *as it is.*— **femme de mère**—woman of a mother ; familiar: *my poor dear mother.*

10. **un têteau de chêne,** *an oak bough*—recently pruned, now lying, still green, on the ground.—Note **elle ne bouge** without **pas.**

15. **Par exemple,** an exclamation of surprise: *is it possible! just think of it!* etc.

23. **J'attendais . . . à passer,** *was waiting for my dear* (little) *father to pass.* The more correct form would be **qu'il . . . passât;** but the subj. is in general avoided by the uneducated and by children.

27.—1. **qui ne compte guère,** *who relies but little on his own.*—**tout de bon,** *in good earnest.*

16. **de la sienne;** because **femme** = *woman* or *wife.* We must say: *of his wife.*

19. **il se fit en lui,** *there arose in him.*—**d'autant plus que,** *all the more because.*

31. **Voyons,** *come!*—**à preuve que,** l. 33, *in proof of which.*—**le samedi,** l. 35, means *Saturdays, every Saturday.*

28.—3. **Qu'à cela ne tienne,** subj. phrase: *Never mind about that.* —**en . . . de plus,** *two more.*

18. **Ça,** as note **12,** 31: *the little fellow will be a pleasure to me; he,* etc.

23. **il eût fallu,** etc., *they would have had to hurt him.*

33. **d'avoir fait le méchant,** *for having been a bad boy.*

29.—7. **croira . . . faire,** *will think perhaps she does me a great favor,* as **23,** 9.—Note the infin. idiom **te payer . . . que d'entrer,** and compare **21,** 36 ; also, l. 3, the sense ᴼᶠ **entrer,** to take, or enter, service.

CHAPTER VII.

TITLE. **Dans la lande,** *On the heath*—open, barren land.

21. **votre monde,** *your people,* as p. 22, l. 3.—**allez dire** and **recommanderez** have mild imperative sense: *you may tell,* etc.

24. **Et justement,** *Just so.* Note the verbs **aviser à** and **s'aviser de.** **Jeannée (Jean),** our *Johnny,* familiar.

29. **lui creusant l'estomac,** *making his stomach feel empty.*

31. **Voilà que,** etc., *now it begins.*—**crier faim,** to cry hunger, i.e., to say one is hungry.

30.—3. **Point du Jour,** name of the inn. The **enseigne,** *sign,* or *shield,* is still common in Europe; here it would be a picture of dawn.—**un doigt de vin** (finger's breadth), means *a little wine.* The like phrase, "about three fingers," is well known to many.

7. **j'y songe,** *I remember,* referring to p. 24, l. 7, etc.

16. **j'en viendrai à bout,** *I shall get through* = to come to an end of, succeed.

20. **la Rebec,** as note **14,** 23.—**pain bis; vin clairet,** *brown bread and light wine* (**clairet,** our "claret"—from the *light* red color).

27. **faire diète,** *fast.* Note the subj., l. 24: **avant qu'il pût.**—**sut lui dire,** l. 28, *managed to say to her.*

31.—13. **la brande,** the broad open heath.—**peuplier à Godard,** l. 5, as note **22,** 18.

19. **qu'il aurait plus court**—elliptical phrase: *that he would find a shorter way.*—**l'avenue de,** *the main road to.*

24. **il ne s'en aperçut pas,** *he did not notice it,* so (*much so*) *that . . . and went much higher up towards.*

32.—2. **bout de côte très raide,** *a bit of very steep hill.*

13. **faillit s'abattre**—failed, missed, i.e., just missed: *came near falling.*—**comme elle l'était,** i.e., **chargée:** *as she was.*

16. **n'eussent affaire,** *could not help her riders from having to deal with*—being troubled by, etc. See note **2,** 27. The form **grand'peine,** l. 19, is like **grand'mère,** etc. See grammar.

25. **pour qu'on s'y perde,** *for one to get lost in, without being,* etc.—**que nous y tournons,** *that we have been turning:* i.e., *we have been turning about for two hours.*

28. **me fait tromper,** for me fait me tromper, *makes me go wrong.*

35. **s'abattre en avant,** should happen to fall forward—i.e., *to stumble and fall*—the boy being in front.

33.—2. **j'empêcherai,** etc., *prevent . . . from leaving him uncovered.*

16. **donna un coup de reins,** *kicked up.*—**par manière d'acquit,** *by way of conclusion :* **acquit** is quittance, final receipt.

21. **rien . . . servirait,** for **il . . . servirait :** *it would do us no good.*

23. **à voir,** as in English, *to see . . . how full,* etc.; **comme,** like **que. 23, 33.—Çà,** l. 20, is adverb, here interj.: *Well! There now!*

26. **que . . . se dissipe,** subj., *for this fog to scatter ;* or, *until,* etc. —**la première venue,** l. 28, *the first we come to.*

CHAPTER VIII.

34.—9. **ma future,** *my intended.*—**briquet,** *tinder-box,* such as was used before matches were invented.

16. **à tâtons,** *by feeling for it*—in the dark.—**Vrai Dieu,** *good God!*

22. **à l'envers,** *upside down.*—The phrase **rouler dans la ruelle** = *to fall out of bed.* In **Calez-moi ça, moi** is ind. obj.: *wedge me that.*

32. **ce n'est pas bien sorcier,** *that's not much of a trick.*

35.—5. **toucheur de bœufs** = **piqueur** as described, of his son, p. 8: *plow driver.*—**au beau milieu de,** *right in the midst of.*—**le** anticipates **ce bûcher,** l. 7.

11. **Non pas que je sache,** subj. phrase: *not (so far) as I know.*— **un soufflet de forge,** *a blacksmith's bellows.*

30. **le moyen de,** idiomatic phrase; here: *how help it ?*—**à quoi bon,** phrase, *what's the use?*

36. **quelque . . . que ce fût,** subj. idiom.: *any work whatever.*

36.—11. **faisait grand cas de,** phrase: *thought a great deal of.*

15. **ne vous gênez pas,** *never mind.* - **je suis de moitié**—I go halves, *share with you.*

30. **j'ai été . . . me coucher,** *have gone to bed.*—**étonne,** *disturb.*

32. **c'est commode une femme;** familiar: *a woman like you is a convenient thing.*

37.—12. **deviendra du charbon,** *will burn to a coal.* Note **faire cuire,** as transitive.

22. **cantinière,** *sutler-girl.* In **cantine** G. essays a slight pun, in proof of his reviving spirits.—**pas vrai,** l. 25, = **n'est-ce pas vrai?**

29. Note **du vin,** the negative question having affirmative sense.

35. **à la Rebec,** the usual indirect obj. English with reversed idiom : *to ask Mrs. Rebec for,* etc. So below, **les . . . payées,** *paid for them.*

38.—13. **cuites à point,** *cooked to a turn.*

19. **A quoi,** etc., *where would my wits have been ?*—**Ça se fait,** *that's the way.*

24. **Dis-moi . . . cela**, *tell me about that.*—**J'en serais**, etc., *I should find that very hard to do.*—**là**, as note **15**, 5.

35. **entrer en ménage**, *to set up housekeeping.*

39.—5. **Que veux-tu**, etc., *what do you suppose they would say?*

8. **Dites donc**, equivalent to: what are you talking about!—expressing impatience.

CHAPTER IX.

13. **ne fait jamais d'autre**, *never does anything else*, when he hears (*anybody*) *eating.*

17. **avez dû être**, *must have been.*—**ciel de lit**, *bed tester.* Old-time beds had canopies (*testers*) and curtains.

32. **de qui**, *whose son he was.*—**s'y prend**, *goes about it*, as **16**, 5.

40.—7. **des méchantes bêtes**, the art. as heretofore.—**fit**, l. 9, familiar for **dit**.

23. **taperais . . . dessus**, *pitch into them hard.* Note the impersonal: **s'il en venait**, *if any came.*

30. **plus . . . jeune, mieux**, etc., *the younger one is, the better*, etc. (**le**, *young*).

32. **ce que c'est que d'être** (**que** expletive), *what it is to be*, etc.—**n'apprenne**, *will learn*—note subj. idiom.

36. **vous en reviendrez**, *you will get over that.*

41.—2. **en être revenu**, the same phrase in different sense: *I wish I had come back.* It is impossible to translate such play on words.—**Qu'ai-je besoin**, *what do I want with.*

13. **aille se réchauffer**, *go and warm herself*, referring to **toute froide.**

27. **le gagnant**, *when sleep overcame him.*

31. **après se les être fait répéter**, *after having had them repeated to him.* Note the reflex. idiom, from **se faire répéter**—**se** indirect.

42.—4. **ce qu'elle lui inspirait d'estime**, *the esteem*, etc., *with which she inspired him*, lit.: what of esteem.

21. **de réponse**, *any answer*—corresponding to the negative implied in **sans.** It is not necessary to call attention to the beauty of this scene.

CHAPTER X.

30. **que cela vous vient**, i.e., **le sommeil**, suggested **in faire un somme**, *to take a nap;*—*I see it is coming to that.*

43.—4. **une intention**, *a meaning.*

17. **vaudra mieux que de,** *will be better than criticising,* etc.

29. **qui a bonne intention,** *who means well.*—**bêtes de laine,** *sheep.*

32. **plus . . . que je ne peux te le dire,**—note again idiomatic **ne** and **le.**

44.—3. **Que veux-tu?**—what do you mean—phrase: *I can't help that.*

8. **si ça se trouvait,** *if it should happen so.* See **20,** 20.

21. **ferais . . . la difficile,** *be too hard to please;* as **28,** 33.

32. **passerais par dessus,** *overlook.*—**avec humeur** means always *ill-humor.*

35. **en tiens pour,** *are set on B.*—**drôle d'idée,** *funny kind of idea.*—**pas moins,** not less = *nevertheless.*

45.—3. **lui ferait accroire,** *make him believe.* This compound is used only in this and similar phrases, always implying *falsely.*

12. **Qu'est-ce que,** etc., *what is that to you?*—**pour parler,** *for the sake of talking.*

31. **il eut beau faire,** phrase—he might try his best: *it was all in vain.* Note the subj., l. 28, **qu'elle n'eût pas fait attention.**

46.—5. **faite,** etc., *plump as a partridge.*—**rose de buissons,** *wild rose.*

10. **ne s'en porte pas plus mal,** *her health is none the worse for it,* as **9,** 27.—Note again the familia: **c'est gai,** etc.

18. **qu'ai-je à m'occuper,** *why am I thinking of all that?*

20. **me traiterait de fou,** *would call me a fool.*—**ne voudrait pas de moi,** *would not have me.*

23. **intéressée,** *selfish.*—Below, **dès à présent,** emphatic: *right now.* See **6,** 24.

32. **s'en allait . . . se perdre,** *went off and,* etc. Compare **24,** 27.

36. **se trompa si bien,** *he blundered so* (not so bad a blunder as is perhaps intimated in **si bien**).

47.—5. For **failli tomber,** see **32,** 13.

26. **regardait le temps,** *looking to see what time it was.* Note the life-like description of the scene.

30. **on voit à se conduire,** *we can see to find our way.*—**y tenir,** *to stand it.*

33. **n'avait pas de volonté,** expressed no wish: *made no objection.*

48.—11. **remontèrent,** etc., *went up again through,* etc.—**si bien,** *so much so,* or simply, *so—that,* etc. See **31, 24.**

CHAPTER XI.

A la Belle Étoile: UNDER THE STARS—in the open air.

23. **Pour le coup, j'y renonce,** *this time I give it up*—the idiom being **renoncer à.**—jeté un sort, cast a spell: *we are bewitched.*

27. **prenons-en notre parti,** phrase: *let us make the best of it.*

31. **c'est commode,** is ironical: *a nice place to go for it.*

49.—7. **n'en pouvait plus,** *was quite exhausted.*—**procéda . . . au coucher,** l. 3, *proceeded to put to bed.*

21. **tes mille volontés,** *your every wish.*—**Pense,** *believe—let me assure you.*

31. **peut se déranger,** *may go astray.* Note the familiar **gars,** also **jeunesse,** as 14, 8.—**de bon sujet,** *from (instead of) a good fellow as,* etc. See 15, 21.

50.—8. **à finir sur la paille,** *to end one's days on the straw,* i.e., in poverty.

12. **indifférent,** *a matter of indifference.*—**ce qu'on deviendra,** *what will become of.*

21. **faite pour être recherchée,** *worthy to be sought after.*—**à même d'amasser,** l. 14, *in a position to, able to.* See **25,** 23.

36. **ne m'en dit pas pour vous,** simply: *does not speak for you.*—**que j'y fasse,** *what do you want me to do* (about it).

51.—2. **Il me semble que vous êtes;** compare with p. 50, l. 25: **il semble que son esprit ait parlé.**

15. **que mon âge n'en comporte,** *than my age implies;* or *than suits my age.*

23. **J'y fais mon possible,** *I try my best to do so.*—**tutoyait** (tu-toi), did not speak to her familiarly (as he had done heretofore). English has suffered great loss in the general use of the colorless *you.* —**plus . . . et moins,** *the more I try it, the less I can get it into my head,* etc. The connective **et** is unusual and emphatic.

52.—3. **à demi,** by halves—*half-way.*—**paraissait devoir,** *seemed bound to go wrong*—or, it seemed that everything must, etc.

17. **chacun de notre côté,** *each our own way.*

33. **à nuitée,** *all night long;* **nuitée** is provincial; see **journée, 18, 25.** So, **la bête chevaline,** for *a horse.*

53.—1. **qu'il s'agissait bien,** *that it was really she* (they were talking of).

9. **que je veuille.** Note the subj.—Above, **museau,** usual of animals, is used humorously and affectionately.

31. **que je vous garde;** the sense is: a pledge (hostage) from you that I will keep.

54.—2. **quand tu auras fini,** *when you have finished getting married.* Note use of future—usually English present—in dependent clauses.

CHAPTER XII.

16. **qu'il n'y avait plus à reculer,** that it was no longer possible to back out—*that there was no backing out now.*

20. **disposées en perron,** that is: a flight of six stone steps up to the door.—**vert-épinard,** *spinach-green*—a strong, dark green.

23. **il s'en faillait de peu**—it lacked but little that—*one might almost have taken it for.* Compare **32,** 13.—**bourgeois,** for which we have no equivalent word, here perhaps: *a gentleman.*

55.—2. **j'y suis**—an expressive phrase = *I have it—I catch on,* etc.

6. **donner tort ou raison,** *take sides for or against.*

11. **le bon numéro,** *the lucky number* (as in a lottery).

18. **au dépourvu,** unprovided—*lacking.*—**a de quoi**—has wherewith—*has the means of attracting.* See **21,** 15.

27. **acheva de troubler;** the phrase means to finish what was already begun: *completed his embarrassment.*

33. **cornettes,** *cap edged with,* etc.—in this sense now rare, and always plural.

56.—2. **la lui firent trouver,** *caused him to think her.* Note the pronouns.

11. **rentière,** *fine lady;* **rentier** is one who lives on his income (*rentes*).—**vaisselle** is "plate," in general.

23. **boudez contre,** phrase: "you are quarrelling with your wine." —**vous coupe l'appétit,** familiar: *take away your appetite.*

57.—2. **faisait pitié,** *excited pity.*—**faire de l'esprit,** *to be witty.*

6. **qu'il se livrât,** *that he should commit himself.*—**coiffée,** familiar, *smitten.* Compare *to set one's cap for.*

22. **assez pour qu'ils n'eussent,** *enough for them to seem not to belong to,* etc. Note the subj. idiom, as **19,** 16.

CHAPTER XIII.

32. **la regarda faire,** simply: *watched her.*—**avoir du dépit,** l. 29, *to be annoyed.*

58.—2. **faites . . . danser,** *invite to dance.*

15. **à aller au devant,** it is not for her *to make advances to you.*

19. **la mine éveillée,** *a lively air.*—**et que,** repeats **quoique.**

35. **à supposer que,** *supposing that.*—**s'entendre,** *come to an understanding.*

59.—2. **le nez au vent,** familiar phrase, meaning *idly;* i.e., *to stand and wait.*—**en attendant que,** *until.*

9. **vous n'avez qu'à:** *you must only not be discouraged.*—**se mettre sur les rangs,** l. 11, *to enter the lists.*

14. **comme elle l'entend,** lit., as she understands the matter; i.e., *as she likes.* Note ind. obj., l. 16, **à des hommes,** *make men lose time.*

27. **conduire en foire,** *take to the fair*—for sale; hence the reason for buying them in advance.

33. **aussi bien,** *moreover.*—**que . . . ou non,** l. 36, *whether . . . or not,* in sense of **soit que.**

60.—9. **se ferait pardonner,** *would obtain pardon.*

26. **assiette** is properly *seat* (asseoir), here: *condition.* For **n'eût il pas été,** see **6,** 36.—**chôme,** l. 30, provincial, *pasture;* usually **le chaume.**

61.—5. **se sont en allés,** popular, for **s'en sont allés.**—**d'où ils venaient,** *where they came from,* l. 8.

12. **Dame!** an exclamation, here of impatience ; originally an oath (Lat. *domine!*).

31. **on ne savait,** etc., phrase, as indef. adj.: *some others.*

62.—5. **venus le demander,** *come and asked for him.*—**amoureux,** *lovers.*

13. **réponds de tout,** *am responsible for.* Compare with **répondre à:** as **convenir de** with **convenir à,** etc.—**la fille,** l. 17, is familiar, *my girl.*

35. **vola plûtot qu'il ne courut,** *flew rather than ran.* Note again this use of **ne.**

63.—6. **ne se faisait pas prier;** phrase: *did not wait to be urged.* Note again **de** in **de son écurie,** *to* her stable [the road *from* is also the road *to;* only the point of view is different].

CHAPTER XIV.

18. **en font le tour,** *go around it.*

26. **Il y a,** etc., *that was a long time ago* (long since that).—In **une belle nuit,** belle is simply emphatic : *a very stormy night,* as **35,** 3.

31. **aurait beau marcher;** see **45, 31.** Compare English *might well walk*—that is, in vain.

64.—2. devait arriver pour achever, *was yet to happen in order completely to justify*, etc., referring to des malheurs, p. 63, l. 18.

11. se disputaient la glandée, *were fighting over the mast* (fallen acorns).

14. demi-bourgeois, see **54**, 23; we may here say: a well-to-do farmer.—entre deux âges, *middle-aged*.

22. que lui voulez-vous, *what do you want with her?* Compare vouloir de, **46**, 21; en vouloir à, **26**, 3, and note the idioms.

65.—5. en avoir le cœur net, *to be sure about it.*—par ici, *about here.*

26. qui se cache, simply: *hiding*—a frequent idiom.

66.—2. figure has acquired, quite usually, the meaning *face.*

12. Nenni, vulgar, here emphatic: *no indeed!*

30. Qu'il ne soit plus, *let nothing more be said about that.*—par chez vous, *in your neighborhood.*

67.—6. en conter à, phrase: to talk love, make love to.

11. vos pareilles, *your likes*, "your sort."—une sotte langue, *a foolish tattler.*

15. de quoi il retourne, *what the matter is.*—à terre, *down!*—d'engager la partie, to take up the game—*accept the challenge.*

24. Homme, etc., *you coward!*—à faire du mal, *to hurt any one.*

27. que tu n'aies, *until you have*—without pas.

35. Tu me fais peine, *you disgust me.*

68.—1. le chemin des Affronteux, *the side road*—as explained in the author's note.

CHAPTER XV.

14. avons été, *went;* so in frequent idioms, être for aller.

21. aux arrivées, *to newcomers.*

28. veut, etc., *wishes me to tell him*, etc. How true, and how charming! The child's unconscious innocence veils the ugly facts.

69.—7. comme ça, *just so.*—Qu'est-ce que c'est que ça, *what's that?* Note the redundant idiom.

8. Mettez-moi, as **34**, 24, the so-called *ethical dative: put him out* (I tell you).

12. a été sorti, ungrammatical (purposely, of course) for est sorti. Note the child's use of the perfect tense throughout, in lively narration.

32. n'est pas trop vieux, the negative is here redundant. There is transition from the form of question to that of negative answer.

33. **Je voudrais un peu savoir,** *I should just like to know.* Note the use of de, expressing *excess.*

70.—9. **ses griefs,** *his causes of complaint.* For **donna à réfléchir** see **19,** 14. The promise referred to is at end of Ch. XI., p. 54.

12. **faire accepter** . . . **aux autres,** as heretofore: *make . . . accepted by others,* or *make others accept,* as **59,** 14.

26. **comme quoi,** popular = comment (*as how*).—**ça se devait,** l. 30, see **22,** 16.

35. **l'amitié,** often = l'amour: *love does not come to order.*

71.—9. **trotté par la tête,** *had been running through his head.*— **faire l'homme,** playing the man—pretending to be a man.

24. **Il en fut de même,** *it was the same way*—with, etc.

27. **engagea,** *made her daughter promise.*—**s'en mêlait,** l. 29, *had to do with it.*

CHAPTER XVI.

72.—7. **avons fait;** note agreement with last subject.—**de moins en moins,** *less and less.*

21. **C'est qu'apparemment**—the fact is—*because, apparently.*

26. **où la prendre,** *where to find her.*—**mon vieux;** see **ma vieille, 12,** 31.

73.—4. **Je fais mon possible,** etc., *I do my best to think no longer of her.*—**déraison,** *unreasonable.* For **jeter un sort,** l. 8, see **48,** 23.

5. **que . . . ou que,** subjunctive: *whether . . . or.*—In line 7, note je **ne peux,** for the more usual **je ne peux pas,** or **je ne puis.**

16. **vous y mettre davantage** (y = dans la peine), *to make it worse.* —**Serait-ce point,** colloquial omission of ne: *might it not be.*

26. **ou bien,** *or else;* **confiant,** usually *confident;* here *confiding.*

74.—30. **Voilà le pire,** *that's the worst of it.*

34. **passer par dessus,** see **44,** 32.

75.—3. **je crains bien que c'est,** ungrammatical, for **que ce ne soit.** It has already been mentioned (**26,** 23) that the uneducated avoid the subjunctive. Here, however, with some reason; for **je crains bien** nearly = *I am very sure.*—**comme il faut,** phrase: *proper.*

10. **et parût,** dep. on **sans que:** without saying—*or seeming* (= and without seeming).—**à votre endroit,** *in regard to you.*

CHAPTER XVII.

17. Mais, emphatic: *Why!*—**bonne amie,** here = *sweetheart.*

27. s'il le faut, je le veux, *if necessary, I insist upon it.*

76.—4. **je m'y attends** (s'attendre à), *I expect that.*—**décidé,** *certain.*

13. **Ne te moque pas,** absolutely, but we may supply the object: *do not laugh at me.*—**manque,** impersonal, as usual: *I yet lack—have not yet lost.*

77.—3. **je serais mort,** *I would have died . . . sooner than ask it of you.* See end of p. 46.—**pas seulement,** *not even.*

5. **un homme qui brûlerait,** *as much as a man burning over a slow fire* (= who should be burning; see **65,** 26). Note, l. 6, the impf. **embrassais** of repeated action: *how often I have kissed you!*

9. **avec les yeux,** etc., *look at me as I am looking at you, and lean your face towards mine,* etc.

VOCABULARY.

abattre, *to* beat down, fell, slay; s'—, to fall down, abate.
abord (d'), first, at first.
aboyer, to bark.
abreuvoir, *m.*, watering-place.
abriter, to shelter.
abrutir, to brutalize, besot.
absolument, absolutely.
abuser, to cheat, deceive; — de, to abuse, misuse; s'—, to be mistaken.
accabler, to crush, overwhelm.
accomplir, to accomplish.
accord, *m.*, agreement; mettre d'—, to reconcile.
accorder, to grant, allow; s'—, to agree.
accoucher, to be confined (in child-bed).
accoutumé, accustomed, usual.
accroire, to believe.
accroître (s'), to grow, increase.
acéré, sharp, keen.
acheter, to buy.
achever, to complete, finish.
acquérir, to acquire.
acquit, *m.*, quittance, discharge.
admettre, to admit, allow.
adroit, skilful, sly.
affaiblir, to grow weak, weaken.
affaire, *f.*, affair, business.
affamé, famished, hungry.
affreux -se, frightful, hideous.
afin — de, in order to; — que, in order that.
âge, *m.*, age; en —, old enough.
agenouiller (s'), to kneel down.
agir, to act, do; il s'agit de, it is a question of, it concerns.

agneau, *m.*, lamb.
agréer, to accept, like, please
agreste, wild, rustic.
aiguillon, *m.*, goad, spur.
ailleurs, elsewhere; d'—, besides.
aimable, amiable, lovely.
aimer, to love, like; — mieux, to prefer.
aîné, eldest, elder.
ainsi, thus, so.
air, *m.*, air, appearance.
aisance, *f.*, ease, comfort.
aise, *f.*, ease, joy; être à son —, to be well off.
aise, glad, pleased.
aisé easy.
ajouter, to add, join.
allée, *f.*, alley, lane.
alléger, to ease, lighten.
allégorique, allegorical.
allègre, brisk, cheerful.
aller, to go; s'en —, to go away, set out.
allumer, to light, kindle.
allure, *f.*, gait, pace, manner.
alors, then.
alouette, *f.*, lark.
amant, *m.*, lover.
âme, *f.*, soul, mind.
amender, to amend, improve.
amener, to bring, bring about.
amer -ère, bitter, painful.
amitié, *f.*, friendship, love.
amour, *m.*, love.
amoureux -se, in love, enamoured; *n.*, lover.
ange, *m.*, angel.
anguleux -se, angular, sharp.
animer, to animate, arouse, stir.

99

année, *f.*, year.
anticiper, to anticipate.
apaiser, to appease, soothe.
apercevoir (s'), to perceive.
apologue, *m.*, fable.
apparemment, apparently.
appartenir, to belong.
appeler, to call, name.
appesantir (s'), to grow heavy *or* dull.
apporter, to bring.
apprécier, to appreciate, value.
apprendre, to learn, teach.
approcher, to bring *or* come near; s'— (de), to approach, come near.
approprier, to appropriate, adapt.
appuyer, to prop, support, lean.
après, after; d'—, from, according to.
arbre, *m.*, tree.
ardent, ardent, spirited.
areau, *m.*, plough.
arène, *f.*, arena, scene.
argent, *m.*, silver, money.
arracher, to snatch, tear, wrest.
arranger, to arrange, suit.
arrêt, *m.*, arrest, decree, sentence.
arrêter, to arrest, stop; s'—, to stop, pause.
arriver, to arrive, happen.
arroser, to water, irrigate.
asseoir (s'), to sit, sit down.
assez, enough, quite, rather.
assiégeant, *m.*, besieger.
assiette, *f.*, seat, situation.
assoupir, to quiet, hush.
atours, *pl. m.*, attire, ornaments.
attacher, to attach, apply; s'—, to endeavor.
atteindre, to attain, touch, reach.
attelage, *m.*, team, yoke.
attendant, waiting; en —, meanwhile; en — que, until.

attendre, to wait, wait for; s'— (à), to expect, rely on.
attendrir, to soften, affect.
atténuer, to attenuate, weaken.
attirer, to attract, draw.
attraper, to catch, take.
attribuer, to attribute, ascribe.
auberge, *f.*, inn, public-house.
aubergiste, *m.*, innkeeper.
aujourd'hui, to-day, now.
auparavant, before.
auprès (de), near, by, in comparison with.
aussi, as, so, also.
aussitôt, immediately, soon; — que, as soon as.
autant, as (so) much *or* many; d'— plus, so much the more.
automne, *m.*, autumn.
autoriser, to authorize.
autour (de), around, about.
autre, other, different, next.
autrefois, formerly.
autrement, otherwise.
avaler, to swallow.
avance (d'), beforehand.
avancer, to advance.
avant, before (*time*); en —, forward; — dernier, next to the last.
avant propos, *m.*, preface.
avenir, *m.*, future.
aventure, *f.*, adventure.
avertir, to inform, warn.
aveugle, blind.
avilir, to debase, disgrace.
avis, *m.*, opinion, advice.
avisé, prudent, cautious.
aviser, to consider, attend (à to); s'— (de), to think of.
avocat, *m.*, lawyer.
avouer, to avow, own.

babiller, to prattle, chatter.
badiner, to jest, trifle.
baigner, to bathe.
bâiller, to yawn, gape.
baisser, to lower, stoop, bow.

banc, *m.*, bench.
barrer, to bar, obstruct.
bas -se, low, base.
bas, *adv.*, low, down; à —,
down; là —, down yonder.
bât, *m.*, pack saddle.
bâtiment, *m.*, building.
bâtine, *f.*, pack-saddle.
bâtir, to build.
bâton, *m.*, stick, staff.
battaison, *f.*, threshing.
battre, to beat, strike, clap;
se —, to fight.
bavard, babbler, boaster.
béant, gaping, wide open.
beau, bel -le, beautiful, fine;
avoir beau, *w. infin.*, to do, *or*
try to do, in vain; la belle,
the fair one, the beauty.
beaucoup, much, many.
beau-père, *m.*, father-in-law.
beauté *f.*, beauty.
belle-mère, *f.*, mother-in-law.
belle-sœur, *f.*, sister-in-law.
bénir, to bless.
berger -ère, shepherd -ess.
bergerie, *f.*, sheepfold.
besogne, *f.*, work, business.
besoin, *m.*, need, want; au —,
in case of need; avoir — de,
to need, want.
bestiaux, *pl. m.*, beasts, cattle.
bétail, *m.*, cattle.
bête, *f*, beast, brute, fool.
bêtise, *f.*, silliness, stupidity.
biche, *f.*, hind, doe.   [good.
bien, *m.*, estate, property,
bien, *adv.*, well, much, indeed,
quite, perhaps, doubtless.
bien-être, *m.*, well-being, comfort.   [tion.
bienfait, *m.*, benefit, benefac-
bien que, although.
bientôt soon, shortly.
bis -e, brown.
bizarre, odd, strange.
blâmer, to blame.
blanc -che, white.

blancheur, *f.*, whiteness.
blé, *m.*, wheat, wheat-field.
blesser, to wound.
bleu, blue.
bleuâtre, bluish.
blond, blond, fair.
blonde, *f.*, blond-lace.
blouse, *f.*, blouse, smock-frock.
bœuf, *m.*, ox, beef.
boire, to drink.
bois, *m.*, wood, forest.
boîte, *f.*, box.
boiteux -se, lame.
bon -ne, good, kind; tout de —
for good, in earnest.
bondir, to bound, caper.
bonheur, *m.*, happiness, good
fortune.
bonhomme, *m.*, goodman, fellow.
bonté, *f.*, goodness, kindness.
bord, *m.*, bank, shore, edge.
border, to edge, line.
bordure, *f.*, edge, border, fence.
borgne, one-eyed.
borné, narrow, shallow.
bouche, *f.*, mouth.
bouder, to pout, look sour.
bouffon -ne, buffoon, jocose.
bouger, to budge, stir.
bouleau, *m.*; birch-tree.
bourgeois, *m.*, citizen, towns-
man.
bourgeonné, pimpled.
bourse, *f.*, purse.
bout, *m.*, end, bit; venir à bout
(de), to come to an end, succeed (in).
bouteille, *f.*, bottle.
bouvier, *m.*, cowherd, drover.
braise, *f.*, live-coal, embers.
bras, *m.*, arm.
brave, brave; honest, worthy.
brèche, *f.*, breach, gap.
bride, *f.*, bridle, reins.
briller, to shine, sparkle.
briquet, *m.*, tinder-box, flint-
and-steel.

brise, _f._, breeze.
briser, to break.
broche, _f._, spit.
brouillard, _m._, fog, mist.
brouiller, to embroil; se —, to fall out, quarrel.
broussailles, _f. pl._, bushes, brushwood.
bru, _f._, daughter-in-law.
bruit, _m._, noise, rumor.
brûler, to burn.
brume, _f._, fog, haze.
brun, brown.
brunir, to make brown.
brutal, brutal; _as n._, brute.
bûcher, _m._, wood-pile.
bucheron, _m._, wood-cutter.
buisson, _m._, bush, thicket.
but, _m._, aim, purpose, end.
buveur -se, drinker, drunkard.

ça (cela), that, it; _of persons_, he, she. [well.
çà, _adv._, there; _as int._, now,
cabane, _f._, cabin, hut.
cabaret, _m._, wineshop, tavern.
cabaretier -ère, tavern-keeper.
cacher, to hide, conceal.
cadeau, _m._, gift, present.
café, _m._, coffee, coffee-house.
caille, _f._, quail.
caler, to support, wedge up.
câlin, wheedling, cajoling.
camarade, _m. f._, comrade, mate.
campagne, _f._, country, field.
cantine, _f._, canteen.
cantinière, _f._, sutler-woman.
cantonnier, _m._, road-laborer.
cape, _f._, cape, cloak.
car, for, because.
caractère, _m._, character.
cas, case; **faire grand — de**, to esteem, think highly of.
casser, to break, crack.
causer, to chat, talk.
cave, _f._, cellar.

céder, to yield, give up.
celui-ci, this one, the latter.
celui-là, that one, the former.
cendre, _f._, ashes, cinder.
cependant, meanwhile; however, yet.
certes, indeed, certainly.
cerveau, _m._, brain.
cesse, _f._, ceasing, cessation.
cesser, to cease.
chacun, every one, each one.
chagrin, _m._, sorrow, vexation.
chagriner, to vex, grieve.
chaise, _f._, chair.
champ, _m._, field.
champêtre, rural.
chanson, _f._, song.
chanter, to sing, chant.
chanteur -se, singer.
chanvreur, _m._, hemp-dresser.
chapeau, _m._, hat.
chaque, each, every.
charbon, _m._, coal, charcoal.
charge, _f._, load, burden; office.
charger, to charge, load; **se —**, to take charge, undertake.
charrue, _f._, plough.
chasser, to hunt, chase, expel.
chasseur -se, hunter, huntress.
chat, _m._, cat.
châtaigne, _f._, chestnut.
châtiment, _m._, chastisement.
chaud, hot, warm; _as n._, heat, warmth.
chauffer, to heat, warm.
chaumière, _f._, thatched house, cottage.
chaux, _f._, lime.
chef, _m._, chief, head.
chemin, _m._, road, way.
chêne, _m._, oak.
chènevière, _f._, hemp-field.
cher -ère, dear, beloved.
chercher, to seek, look for.
chétif -ve, puny, mean.
cheval, _m._, horse.
chevaline, of the horse kind.
cheveu, _m._, hair.

chèvre. *f.*, she-goat.
chevreau, *m.*, kid.
chevreuil, *m.*, roebuck.
chez, at. to, *or* in one's house, among, with, in.
chien, *m.*, dog.
chimère, *f.*, chimera, fancy.
choisir, to choose.
choix, *m.*, choice, selection.
chôme, *f.* (*prov.*), fallow land, stubble-field.
chose, *f.*, thing, matter.
chute, *f.*, fall.
ciel (cieux), *m.*, heaven, sky; — (ciels), *m.*, tester (of a bed).
cimetière, *m.*, cemetery.
clair, clear, bright; — de lune, moonlight.
clairet, pale.
clairière, *f.*, glade.
clairvoyance, *f.*, acuteness, clearsightedness.
clapotement, *m.*, splashing.
claquer, to clack, rattle.
clarté, *f.*, light, clearness.
clef, *f.*, key.
cligner, to blink, wink.
cloche, *f.*, bell.
clocher, *m.*, steeple.
cœur, *m.*, heart, feeling, courage.
coiffer, to dress the hair; être coiffé de, to be smitten with.
coin, *m.*, corner, angle.
colère, *f.*, anger, wrath.
coller, to paste, glue; se —, to stick, cling (to).
colline, *f.*, hill, hillock.
combattre, to combat, fight; se —, to contend.
combien, how much, how many.
combler, to heap, fill up.
comme, as, like, as if, how.
comment, how, why.
commode, convenient, agreeable, good-natured.

commun, common, general. mean.
communal, *m.*, common land.
compagnie, *f.*, company.
compagnon, *m.*, companion, partner; *f.*, compagne.
comparaître, to appear.
compatir (à), to sympathize with.
comporter, to comport, allow.
comprendre, to comprehend, understand.
compte, *m.*, account, reckoning.
compter, to count, reckon, calculate.
concert, *m.*, concert, agreement; de —, in union, together.
concevoir, to conceive.
conduire, to conduct, lead, drive, escort.
conduite, *f.*, conduct, behavior.
confiance, *f.*, confidence.
confiant, confident, confiding.
confier, to confide, trust.
connaissance, *f.*, knowledge, acquaintance, consciousness.
connaître, to know, be acquainted with.
conseil, *m.*, counsel, advice.
conseiller, to advise, counsel.
consentement, *m.*, consent.
consentir, to consent.
conséquent (par), consequently.
conserver, to preserve, keep.
consommé, consummate, accomplished.
constant, constant, certain.
contenir, to contain.
contenter, to satisfy, please.
conter, to relate, tell; en —, to talk foolishness.
contour, *m.*, circuit, outline.
contraire, contrary, opposed; au —, on the contrary.
contrée, *f.*, country, region.

contribuer, to contribute.

convaincre, to convince.

convenable, convenient, suitable.

convenir, to agree; — de, to admit, acknowledge; — à, to suit, fit.

convenu, agreed, granted.

convier, to invite, incite.

corbeille, *f.*, basket.

cordelette, *f.*, cord, string.

corne, *f.*, horn.

cornette, *f.*, head-dress, mobcap.

corps, *m.*, body.

corrompre, to corrupt.

côte, *f.*, rib, declivity.

côté, *m.*, side, part; à — de, beside; de —, sideways; du — de, in the direction of, towards.

cotillon, *m.*, petticoat.

côtoyer, to coast along, keep near.

cou, *m.*, neck.

coucher, to lay down, put to bed; se —, to lie down, go to bed, set.

coucher, *m.*, lying down, going to bed, setting.

couler, to flow, trickle.

coup, *m.*, blow, stroke, time; — d'œil, look, glance; — de pied, kick; à — sûr, assuredly; pour le —, for once; tout à —, tout d'un —, all at once, suddenly.

coupable, guilty, sinful.

coupe, *f.*, cup.

couper, to cut, cut off.

cour, *f.*, court, courtyard.

courir, to run.

courroie, *f.*, strap, thong.

courroucer, to provoke, anger.

cours, *m.*, course.

coursier, *m.*, courser, steed.

court, short, brief, curt.

courtisan, *m.*, courtier, flatterer.

courtiser, to court, flatter.

coûter, to cost.

coutume, *f.*, custom; de —, usually.

couvert (à), under cover.

couvrir, to cover.

craindre, to fear, dread.

crainte, *f.*, fear, dread.

cramponner (se), to cling.

craquer, to creak, crack.

crèche, *f.*, manger, crib.

crépir, to rough-cast.

creuser, to dig, hollow out, cut into, wrinkle.

critiquer, to criticise.

crocheter, to pick (a lock).

croire, to believe, think.

croiser, to cross.

croître, to grow, increase.

croix, *f.*, cross.

croupe, *f.*, crupper; en croupe, behind.

cuire, to cook.

cultivateur, *m.*, farmer.

curé, *m.*, curate, vicar.

damné, cursed, confounded.

davantage, more.

décharné, lean, emaciated.

déchirer, to tear, rend.

décidément, decidedly.

décider, to decide, induce.

décourager, to discourage.

découvert (à), openly, in the open air, uncovered.

dédain, *m.*, disdain, scorn.

dedans, within, in *or* into it.

dédommagement, *m.*, indemnification, compensation.

dédommager, to indemnify.

défaite, *f.*, d feat, disappoint-

défaut, *m.*, defect. [ment.

défendre, to defend, forbid; se —, to forbear, help (doing).

défricher, to clear, grub up.

défunt, defunct, deceased.

dégager, to free, disengage.
dégoûtsr, to disgust.
déguiser, to disguise. [doors.
dehors, out, without, out of
déjà, already.
déjeuner, to breakfast.
délicatesse, *f.*. delicacy, tact.
délier, to untie, loosen.
déloyauté, *f.*, dishonesty.
demain, to-morrow.
demander, to ask, demand.
demeurer, to live, stay.
demi, half; à —, by half.
dénier, to deny.
dent, *f.*, tooth.
dentelle, *f.*, lace.
départ, *m.*, departure.
dépasser, to pass by.
dépayser, to send to another
  country, expatriate.
dépendre, to hang down, depend (de, on). [ture.
dépense, *f.*, expense, expendi-
dépenser, to spend.
dépit, *m.*, spite, vexation.
déplaire (à), to displease.
déplaisir, *m*, displeasure, grief.
déposer, to lay down.
dépouiller, to despoil, strip.
dépourvu, unprovided ; au —,
  unawares, wanting.
depuis, since ; — que, since.
déraison, *f.*, unreasonableness.
déranger, to disturb, disar-
  range; se —, to go astray.
dernier -ère, last, utmost.
derrière, behind. [soon as.
dès, at, from, since; — que, as
désarçonner, to unhorse. [ing.
descente, *f.*, descent, alight-
descendre, to descend, go down,
  alight. [spair.
désespéré, desperate, in de-
désespérer, to make desperate;
  intr. or reflex., to despair.
désespoir, *m.*, despair.
dessein, *m.*, design, plan.
dessous, under, below; au —

de, under, beneath ; par —,
  underneath.
dessus, over, above ; là —,
  thereupon, upon it ; par —,
  over, beyond; au — de, upon,
  over, above.
détendre (se), to unbend, relax.
détourner, to turn away, dis-
  suade.
détresse, *f.*, distress.
deuil, *m.*, mourning.
devancier, *m.*, predecessor.
devant, before (place); venir
  au-devant de, to come to
  meet ; *as n.*, front.
devenir, to become.
deviner, to divine, guess.
deviser, to chat, talk.
devoir, *m.*, duty.
devoir, to owe, ought, must,
  be to ; se —, to be due, be
  right.
dévorer, to devour.
dévouer, to devote.
diable, *m.*, devil.
diantre, *m.*, (the) deuce.
dicter, to dictate.
diète, *f.*, diet.
Dieu, *m.*, God.
différend, *m.*. difference, dis-
  agreement.
difficile, difficult, hard to
  please.
digne, worthy.
dimanche, *m.*, Sunday.
diminuer, to diminish, lessen.
dire, to say, tell.
diriger, to direct, guide.
disparaître, to disappear, van-
  ish.
dispenser, to exempt.
dispos, active, cheerful.
disposer, to dispose ; se —, to
  prepare, get ready.
dissiper, to dissipate, scatter.
distraire, to distract, divert.
distrait, absent-minded.
divaguer, to ramble.

divin, divine, godlike.
doigt, *m.*, finger.
domaine, *m.*, domain, estate.
dominer, to dominate, rule.
donc, therefore, then.
donner, to give ; — tort à, to blame.
dorer, to gild.
dormir, to sleep.
dos, *m.*, back.
doucement, sweetly, softly, gently.
douceur, *f.*, sweetness, gentleness.
douleur, *f.*, pain, grief, sorrow.
douloureux -se, painful, grievous.
doute, *m.*, doubt.
douter, to doubt; se — de, to suspect.
doux -ce, sweet, gentle, mild.
dresser, to erect, set up, prick up.
droit, straight, right, direct ; à droite, on *or* to the right.
droit, *m.*, right, title.
drôle, droll, funny ; *as n.*, funny fellow, rogue.
dû, due (devoir), due, owed.
dur, hard, tough.
durer, to last, continue.

écart, *m.*, start, digression ; à l'—, aside.
écarter, to discard, remove, avert.
échanger, to exchange.
échanson, *m.*, cup-bearer.
échine, *f.*, spine, back-bone.
éclaircir, to clear, explain ; s'—, to brighten.
éclat, *m.*, splendor, display, burst.
écouter, to listen (to).
écraser, to crush.
écrier (s'), to cry out, exclaim.
écrire, to write.
écriture, *f.*, writing.

écu, *m.*, crown (money).
écurie, *f.*, stable.
effarer, to terrify, scare.
effet, *m.*, effect, fact.
efflanqué, lean, meagre.
efforcer (s'), to strive, **exert** one's self.
effrayer, to frighten, terrify.
effroi, *m.*, fright, terror.
effroyable, dreadful, frightful.
égal, equal, indifferent.
égaré, strayed, lost.
égayer (s'), to make merry.
église, *f.*, church.
égoïsme, *m.*, egotism, selfishness.
élancer (s'), to bound, spring.
élever, to raise, erect, rear ; s'—, to rise, arise.
éloigné, distant, remote.
éloigner, to remove, send off ; s'—, to withdraw, go off.
embarras, *m.*, embarrassment.
embellir, to embellish, adorn.
embrasser, to embrace, kiss.
emmener, to take away, take.
émouvoir, to move, stir, agitate.
emparer (s') de, to seize, take possession of.
empêcher, to prevent; s'—, to forbear, help (doing).
empirer, to grow worse.
emporter, to bear off, carry away; l'—, to prevail, win.
ému, moved, excited.
encadrer, to frame, encircle.
enclos, *m.*, enclosure.
encore, still, yet, again, more.
endiablé, bewitched.
endormir, to put to sleep; s'—, to fall asleep.
endroit, *m.*, place.
enfance, *f.*, infancy.
enferges, *pl.*, hobbles, fetters.
enfin, finally, at length.
enflammer, to inflame, set on fire; s'—, to take fire, be incensed.

enfoncer, to burst, plunge, bury; **s'—**, to sink.

engager, to engage, induce.

engraisser, to fatten.

enjoué, lively, sportive.

enlacer, to entwine, clasp.

enlaidir, to make ugly, disfigure. [trouble.

ennui, *m.*, weariness, vexation,

ennuyer, to weary, vex, annoy; **s'—**, to be wearied, vexed.

enorgueillir, to make proud.

enquérir (s'), to inquire.

enseigne, *f.*, sign (-board).

ensemble, together.

ensorceler, to bewitch.

ensuite, afterwards, then.

entasser, to heap up, accumulate.

entendre, to hear, understand, intend; **s'—**, to understand each other, be on good terms; **— à**, to know about, be skillful in.

entendu, intelligent, skillful.

entier -ère, entire, whole.

entièrement, entirely, wholly.

entonner, to intone, strike up.

entourer, to surround.

entraîner, draw, carry off.

entre, between, among.

entre-croiser (s'), to cross one another, intersect.

entrée, *f.*, entrance.

entreprendre, to undertake.

entretenir, to keep up, maintain, entertain; **s'—**, to converse.

envers, towards.

envers, *m.*, reverse, wrong side; **à l'—**, wrong side out, the wrong way.

envie, *f.*, envy, wish, desire.

environ, about.

environnant, surrounding

envoyer, to send.

épais -se, thick, dull.

épaissir, to thicken; **s'—**, to become thick.

épars, scattered.

épaule, *f.*, shoulder.

éperonner, to spur.

épinard, *m.*, spinach.

épine, *f.*, thorn.

époque, *f.*, epoch, period.

épouser, to marry.

épouseur, *m.*, man who wishes to marry, suitor.

épouvante, *f.*, terror, dismay.

éprouver, to test, experience.

équipage, *m.*, equipage, equipment, harness.

escabeau, *m.*, stool, foot-stool.

esclavage, *m.*, slavery.

espérance, *f.*, hope.

espérer, to hope, to hope for, expect.

espoir, *m.*, hope.

esprit, *m.*, spirit, ghost, intelligence, wit, sense.

esquiver, to evade; **s'—**, to escape.

essaimer, to swarm.

essayer, to try, attempt.

essuyer, to wipe, endure.

estomac, *m.*, stomach, breast.

étable, *f.*, stall.

établir, to establish; **s'—**, to be established, settle.

étaler, to display.

étang, *m.*, pond, fish-pond.

état, *m.*, state, condition, rank, calling, business.

étendre, to extend, spread; **s'—**, to extend.

étincelle, *f.*, spark.

étoile, *f.*, star; **à la belle —**, under the stars.

étonner, to astonish, confuse.

étouffer, to suffocate, stifle.

étourdi, awkward, giddy; *as n.*, blunderer, madcap.

étourdir, to stun, bewilder; **s'—**, to cast off thought, divert one's mind, forget.

étranger -ère, strange, foreign; *n.*, stranger.

être, *m.*, being.

étude, *f.*, study.

évader (s'), to escape.

éveillé, awake, brisk, lively.

éveiller, to awake, rouse.

évènement, *m.*, event.

éviter, to avoid, shun.

excès, *m.*, excess.

exemple, *m.*, example; **par —**, indeed !

exiger, to exact, demand.

expliquer, to explain.

exprimer, to express, declare.

exténuer, to extenuate, weaken.

fâché, angry, sorry (**de**, *for*).

fâcher, to anger, vex, grieve; **se —**, to be angry, get angry.

facile, easy.

façon, *f.*, fashion, form, ceremony.

faible, weak, feeble, faint.

faiblesse, *f.*, weakness, feebleness.

faillir, to fail, miss, be on the point of.

faim, *f.*, hunger.

fainéantise, *f.*, idleness, laziness.

faire, to make, do, cause, let (do), have (done); **se —**, to be done, become, grow.

fait, *m.*, fact, act, deed; **si —**, yes, indeed; **tout à —**, quite, entirely.

falloir, to be necessary; **il faut**, one must, etc.

fardeau, *m.*, burden, load.

farouche, wild, fierce.

fausser, to make false, falsify; *intr.*, to grow false, get out of tune.

faute, *f.*, fault, defect; **— de**, for lack of, in default of.

fauve, fawn-colored, tawny.

faux -sse, false.

fécond, fruitful, prolific.

féconder, to fertilize.

feindre, to feign, pretend.

feinte, *f.*, feint, pretence.

fendre, to cleave, split.

fenêtre, *f.*, window.

fer, *m.*, iron; *pl.*, chains.

ferme, *f.*, farm, farmhouse.

fermer, to shut, close.

fermeté, *f.*, firmness.

fermier, *m.*, farmer.

feu, *m.*, fire, red color.

feuillage, *m.*, foliage.

feuille, *f.*, leaf.

feuillée, *f.*, bower, leafage.

fiancé, person affianced.

fichu, *m.*, neckerchief.

fidèlement, faithfully.

fier (se), to trust to, rely on.

fier -ère, proud, spirited.

fièvre, *f.*, fever, feverishness.

figure, *f.*, form, face.

figurer (se), to imagine, fancy.

filet, *m.*, net, thread.

fillette, *f.*, lass, young girl.

fin, *f.*, end, aim.

fin, fine, thin; sharp, sly.

finesse, *f.*, fineness, delicacy.

flairer, to smell, scent.

flamber, to blaze, flame.

flaque, *f.*, pool, puddle.

flétrir, to blight; **se —**, to fade, wither.

foire, *f.*, fair.

fois, *f.*, time (repetition); **à la —**, at once.

folâtrer, to sport, romp, flirt.

folie, *f.*, folly, madness.

fond, *m.*, ground, depth, end.

fondre, to melt, sink; to fall, rush.

fondrière, *f.*, bog, quagmire.

fonds, *m.*, land, soil, funds.

forçat, *m.*, galley-slave, convict.

force, *f.*, force, strength; **à — de**, by dint of.

forêt, *f.*, forest.

formuler, to formulate.

fort, strong, loud; *adv.*, very, very much.

fosse, *f.*, hole, grave, trench.

fossé, *m.*, ditch.

fou, fol -le, mad, foolish.

foudroyer, to crush.

fouet, *m.*, whip.

fouetter, to whip.

fougère, *f.*, fern, brushwood.

fourbe, *m.*, *f.*, cheat, knave.

fourchu, forked, cloven.

fourrage, *m.*, fodder, forage.

fourré, *m.*, thicket, brake.

foyer, *m.*, fireplace, hearth.

fraîchement, freshly, newly.

fraîcheur, *f.*, freshness, coolness.

frais, fraîche, fresh, cool.

frais, *m. pl.*, expense(s).

franchir, to clear, pass over.

franchise, *f.*, frankness, candor.

frapper, to strike, hit.

frein, *m.*, bit, curb.

frémir, to shudder, tremble.

friser, to curl, frizzle.

frisson, *m.*, cold fit, chill.

froid, cold.

front, *m.*, front, forehead, brow.

frotter, to rub.

fumée, *f.*, smoke.

fumer, to smoke, reek.

fumier, *m.*, manure, dungheap.

fureur, *f.*, fury, rage.

fusil, *m.*, gun.

futur, future; *as n.*, intended (husband or wife).

gage, *m.*, pledge.

gagner, to gain, earn, reach, overcome, arrive.

gaillard, gay, lively; *as n.*, gay fellow, gallant.

gaîté = gaieté, *f.*, gayeiy.

galette, *f.*, cake, cooky.

garçon, *m.*, boy, fellow.

garde, *m.*, *f.*, guard, watch.

garder, to keep, guard.

garnement, *m.*, scamp, rascal.

garnir, to furnish, adorn.

gars, *m.*, young fellow, lad.

gâter, to spoil.

gauche, left, awkward; **à —,** on *or* to the left.

gaule, *f.*, pole, switch.

gendarme, *m.*, policeman, guard.

gendre, *m.*, son-in-law.

gêner, to trouble, embarrass.

genêt, *m.*, broom (plant).

génie, *m.*, genius.

genou, *m.*, knee.

genre, *m.*, species, kind.

gens, *m.*, *f.*, *pl.*, people, persons.

gentil -le, pretty, nice.

gentiment, prettily, nicely.

geôlier, *m.*, jailer.

gibier, *m.*, game.

gîte, *m.*, lodgings, quarters.

glandée, *f.*, mast (of acorns).

glisser, to slip, insinuate; **se —,** to glide, creep.

gonfler, to swell.

gouffre, *m.*, gulf, whirlpool.

goulou, *m.*, glutton.

gourmand, gluttonous, greedy.

goût, *m.*, taste.

goûter, to taste, enjoy, lunch; *m.*, lunch.

goutte, *f.*, drop.

grâce, *f.*, grace, favor; **— à,** thanks to.

grand, grand, large, tall.

grandement, grandly, greatly, very.

grange, *f.*, barn.

gratter, to scratch, scrape.

gravure, *f.*, engraving, print.

gré, *m.*, will, wish, pleasure, thanks; **à son —,** to one's mind; **savoir — de,** to be thankful for.

grêle, shrill.

grenier, *m.*, granary, loft.
grenouille, *f.*, frog.
grief, *m.*, grievance, injury.
grimper, to climb.
grincer, to grind, gnash, grate. creak.
gris, gray.
grive, *f.*, thrush.
gronder, to grumble, scold.
gros -se, large, big, coarse.
grossier -ère, gross, rough, coarse.
grue, *f.*, crane.
gué, *m.*, ford.
guère (ne *with verb*), scarcely, hardly, little.
guérir, to heal, cure.
guerrier, warlike; *as n.*, warrior.
guetter, to lie in wait, watch, for.

habillement, *m.*, clothes, attire.
habiller, to dress, clothe.
habit, *m.*, coat; *pl.*, clothes.
habiter, to inhabit.
habitude, *f.*, habit, custom.
habituer, to accustom.
' haie, *f.*, hedge, hedgerow.
' haillon, *m.*, rag, tatter.
' haïr, *v. a.*, to hate, detest.
haleine, *f.*, breath, breeze.
' hameau, *m.*, hamlet.
' hangar, *m.*, shed, cart-house.
' hardi -e, bold, impudent.
' harnais, *m.*, harness, trappings.
' hasard, *m.*, hazard, chance, risk.
' hasardé, *part.*, bold.
' hâte, *f.*, hurry, haste.
' hâter (se), to make haste.
' haut, high, lofty, loud; *as n.*, *m.*, height, top.
' hauteur, *f.*, height, eminence, level; haughtiness.
' hennir, to neigh.
herbe, *f.*, herb, grass.
' hérisser, to bristle.

heure, *f.*, hour, time; à la bonne —, well, all right; de bonne —, early; sur l'—, instantly; tout à l'—, at once, just now.
heureux -se, happy, fortunate.
' heurter, to strike, hit.
hier, yesterday.
historiette, *f.*, short story.
hiver, *m.*, winter.
honnête, honest, kind, good.
honnêteté, *f.*, honesty; politeness, kindness.
' honte, *f.*, shame.
' honteux -se, ashamed, bashful.
' hors, out, out of, beyond, except.
' houx, *m.*, holly, holly-tree.
humain, human, humane.
humide, *adj.*, damp, wet.

ici, here; par —, this way.
idée, *f.*, idea.
immonde, unclean, impure.
importer, to matter, signify.
imprimer, to imprint, impress.
improviste (à l'), unawares.
impunément, with impunity.
inconnu, unknown.
incroyable, incredible.
indicible, inexpressible.
indigne, unworthy, mean.
indiquer, to indicate.
indistinctement, without distinction, indifferently.
indompté, untamed, unbroken.
ingambe, nimble, brisk.
ingénument, ingenuously, candidly.
ingrat, ungrateful.
injure, *f.*, insult.
inquiet -ète, uneasy, restless.
inquiéter, to disquiet.
instant, *m.*, instant, moment; par instants, occasionally.
insuffisant, insufficient. [ing.
intention, *f.*, intention, meanintérieur, interior; *n.*, home.

intéressé, interested, selfish.
interrompre, to interrupt, break
intitulé, entitled. [off.
intraduisible, untranslatable.
introduire, to introduce.
inutile, useless.
invoquer, to invoke, call upon.
isolé, isolated, solitary.
ivre, drunk.
ivrogne, as n., drunkard.

jacquerie, f., rising of peasants.
jadis, formerly.
jaloux -se, jealous.
jamais, ever; never.
jambe, f., leg.
japper, to yelp.
jardinage, m., gardening, gar-
den-stuff.
jaune, yellow.
jeter, to throw, cast.
jeu, m., play, sport, game.
jeun (à), fasting.
jeune, young.
jeunesse, f., youth, young girl.
joie, f., joy.
joindre, to join.
joli, pretty.
jouer, to play, act.
joueur, m., player, gambler
joug, m., yoke.
jouir (de), to enjoy.
jouissance, f., enjoyment.
jour, m., day, light, life.
journée, f., day, all day, day's
work.
juger, to judge.
juif -ve, Jew, Jewess.
jument, f., mare.
jupe, f., skirt, petticoat.
jurer, to swear.
jusqu'à, until, to, as far as.
jusqu'ici, until now, thus far.
justement, just, precisely.

là, there; as int., there! come!
là-bas, down there; par —,
that way.

labeur, m., labor, toil.
labour, m., ploughing, tillage.
labourable, arable.
labourage, m., tillage, ploughing.
laboureur, m., ploughman.
lâche, slothful, cowardly; as
n., coward.
lâcher, to loose, let go, release.
laid, ugly.
laine, f., wool.
laisser, to leave, let, allow;
w. infin., to let (do), have
(done); — de, to cease, fail.
lancer, to dart, hurl, cast.
lande, f., waste land, moor.
landier, m., andiron, fire-dog.
langue, f., tongue, language.
large, broad, wide.
larme, f., tear.
las -se, tired, weary.
laver, to wash.
lecteur, reader.
léger -ère, light, slight.
lendemain, morrow, next day.
lentement, slowly.
lenteur, f., slowness.
lever, to lift, to raise; se —, to
rise, get up.
lèvre, f., lip.
liaison, f., connection, inti-
macy.
libre, free.
lien, m., bond, tie.
lier, to bind, connect, tie, yoke.
lieu, m., place; au — de, instead of; au — que, whereas.
lieue, f., league.
lièvre, m., hare.
ligne, f., line, path.
linge, m., linen.
lire, to read.
lisière, f., border, outskirts.
lit, m., bed, marriage.
livrer, to deliver; se —, to devote, surrender (one's self).
loger, to lodge.
loi, f., law.

loin, far, far off ; **au —**, afar, in the distance.
loisir, *m.*, leisure.
long -ue, long ; **au —**, **le —**, along; **longuement**, *adv.*
longtemps, long (time).
longueur, *f.*, length.
lopin, *m.*, bit, piece.
lorsque, when.
louer, to hire; to praise.
louis d'or, *m.*, louis d'or (a gold coin).
loup, *m.*, a wolf.
lourd, heavy, dull.
lucarne, *f.*, sky-light; dormer-window.
lueur, *f.*, light, gleam.
lugubre, lugubrious, mournful.
lumière, *f.*, light, knowledge.
lundi, *m.*, Monday.
lune, *f.*, moon ; **clair de —** moonlight.
lutte, *f.*, struggle, contest.
lutter, to struggle, strive.
luxe, *m.*, luxury.

mâchoire, *f.*, jaw.
magnifique, magnificent.
mai, *m.*, May.
maigre, lean, thin.
main, *f.*, hand.
maintenant, now.
maintenir, to maintain, sustain, restrain.
mais, but; *int.*, well ! why !
maison, *f.*, house.
maître, *m.*, master, teacher.
maîtresse, *f.*, mistress, sweetheart.
majeur, of full age.
mal, ill, badly ; **être —**, to be ill, badly off.
mal, *pl.*, **maux**, evil, harm, hurt; **faire du —**, to hurt, harm.
malade, sick, ill.
maladroit, clumsy, unskilful.
malaise, *m.*, uneasiness.
mâle, manly, masculine.

malédiction, *f.*, curse.
malgré, in spite of.
malheur, *m.*, unhappiness, misfortune.
malheureux -se, unhappy, unfortunate ; *as n.*, wretch.
malin -gne, mischievous, roguish.
malpropre, dirty, slovenly.
malsain, unhealthy, sickly.
maltraiter, to maltreat, mistreat.
manger, to eat, eat up ; *as n.*, eating.
manière, *f.*, manner, style.
maniéré, affected.
manquer, to fail, lack, be wanting.
manteau, *m.*, mantle, cloak.
marche, *f.*, march, walk, step.
marché, *m.*, market, bargain.
marcher, to march, walk, go.
mare, *f.*, pool, pond.
marécage, *m.*, marsh.
marge, *f.*, margin, edge.
mari, *m.*, husband.
marier, to marry ; **se —**, to marry, get married.
marmot, *m.*, brat.
marquer, to mark, indicate.
matin, *m.*, morning.
matinée, *f.*, morning.
maudire, to curse ; **maudit**, cursed.
méchant, bad, wicked.
mécontentement, *m.*, discontent.
mécontenter, to discontent.
méfiance, *f.*, distrust ; **méfiant**, distrustful.
meilleur, better; **le —**, the best.
mêler, to mingle, mix ; **se — de**, to meddle with, take part in.
même, *pron.*, self ; *adj.*, same, very; *adv.*, even; **à —**, able, ready ; **de —**, likewise, the same.

mémoire, *f.*, memory.

menacer, to threaten.

ménage, *m.*, housekeeping.

ménagement, *m.*, regard, kind treatment.

ménager, to spare, save, treat kindly.

mendiant, beggar.

mener, to lead, guide, drive.

menteur -se, liar.

mentir, to lie, tell a lie.

menu, small, petty, tiny.

méprendre (se), to be mistaken.

mépris, *m.*, contempt, scorn.

mépriser, to contemn, despise.

merci, *m.*, thanks.

mériter, to merit, deserve, earn.

messe, *f.*, mass.

métairie, *f.*, farm, farmhouse.

métayer, *m.*, farmer, renter.

mettre, to put, put on; se — à, to begin ; en, dans, la tête, to take into one's head.

meuble, *m.*, furniture.

miel, *m.*, honey.

mieux, *adv.*, better; le —, best; de son —, one's best.

mignon -ne, delicate, pretty, dear ; *as n.*, darling.

milieu, *m.*, middle, midst.

mince, thin, slender.

mine, *f.*, look, mien, air.

mineur, minor, infant.

minuit, *m.*, midnight.

miroir, *m.*, mirror, looking-glass.

misère, *f.*, misery, poverty.

mode, *f.*, mode, manner ; à la —, in fashion.

modérément, moderately.

mœurs, *f. pl.*, morals, customs.

moine, *m.*, monk, friar.

moins, less; au, du —, at least; à — que (ne), unless, except; à — de (*with infin.*), without.

mois, *m.*, month.

moisson, *f.*, harvest.

moitié, *f.*, half; être de — avec, to go halves with.

monde, *m.*, world, people; tout le —, everybody.

montagne, *f.*, mountain.

monter, to mount, rise, ride.

montre, *f.*, watch, show.

montrer, to show, point out.

moquer (se), to joke, jest; se — de, to ridicule, laugh at.

moqueur -se, mocking, jeering.

morceau, *m.*, bit, piece, morsel.

mordre, to bite.

morne, gloomy, dull.

mort, *f.*, death.

mort (mourir), dead.

mot, *m.*, word, expression.

motte, *f.*, clod, turf.

mouchoir, *m.*, handkerchief.

mouillé, wet.

mourir, to die.

mousse, *f.*, moss.

mouton, *m.*, sheep.

mouvement, *m.*, motion, impulse, influence.

moyen, *m.*, means, way; le — de, by what means, how (to).

moyen -ne, mean, middle, average; — âge, middle ages.

mugissement, *m.*, bellowing.

mur, *m.*, wall.

mûre, *f.*, mulberry, blackberry.

museau, *m.*, muzzle, nose.

nage, *f.*, swimming ; profuse perspiration.

naguère, lately.

naïf, naïve, simple, artless.

naissance, *f.*, birth.

naître, to be born, arise.

naïvement, simply, artlessly.

naïveté, *f.*, simplicity, artlessness.

nappe, *f.*, cloth, table-cloth.

né (naître), born.

néanmoins, nevertheless.

néant, *m.*, nothing, nothingness.

neige, *f.*, snow.

nenni, not at all.

net -te, clean. pure, clear.

nettoyer, to c ean.

neuf -ve, new.

nez, *m.*, nose.

niais, simple, silly.

noce, *f.*, wedding.

noir, black. [name.

nom, *m.*, name ; nommer, to

nonne, *f.*, nun.

nostalgie, *f.*, home-sickness.

nourrir, to nourish, feed.

nourriture, *f.*, nourishment, food.

nouveau, nouvel -le, new, recent ; de —, anew.

nouvellement, newly, recently.

noyer (se), to drown one's self.

nu, naked ; à —, nakedly.

nuit, *f.*, night, darkness.

nul, no, not any, none.

nullement, not at all.

numéro, *m.*, number.

obéir (à), to obey.

obéissance, *f.*, obedience.

objecter, to object, make objection.

obstinément, obstinately.

obstiner (s'), to be obstinate, persist.

obtenir, to obtain.

occuper, to occupy; s'—, to occupy one's self, be busy.

œil (yeux), *m.*, eye.

œuvre, *f.*, work.

offrir, to offer.

oie, *f.*, goose.

oiseau, *m.*, bird.

oiseux -se, indolent, idle.

oisif -ve. idle; *as n.*, idler.

ombre, *f.*, shade, shadow.

or, *m.*, gold.

orage, *m.*, storm, tempest.

oraison, *f.*, orison, prayer.

ordinaire, ordinary; à l'—, usually.

oreille, *f.*, ear.

orgueil, *m.*, pride.

orgueilleux -se, proud, haughty.

orienter (s'), to take one's bearings (easting), find where one is.

ormeau, *m.*, elm.

orner, to adorn, embellish.

orphelin, orphan.

oser, to dare.

osier, *m.*, osier, wicker.

ôter, to take away, remove.

oubli, *m.*, forgetfulness, oblivion.

oublier, to forget.

oui-da, yes indeed.

outre, beyond; en —, besides.

ouvrage, *m.*, work.

ouvrier, *m.*, workman.

ouvrir, to open.

païen -ne, pagan, heathen.

paille, *f.*, straw.

pain, *m.*, bread, loaf.

pâlir, to turn pale.

panier, *m.*, basket.

par, by, through.

parabole, *f.*, parable.

paraître, to appear, seem.

parce que, because.

parcourir, to run over, traverse.

pareil -le, like, similar.

pareillement, likewise.

parent, *m.*, relation, parent.

parfait, perfect.

parfaitement, perfectly, exactly.

parfois, sometimes, occasionally.

parler, to speak.

parmi, among.

paroisse, *f.*, parish.

parole, *f.*, word.

parrain, *m.*, godfather.

part, *f.*, share, part, portion; à —, *adv.*, aside; *adj.*, peculiar; de la — de, from, on

behalf of; quelque —, some-
where.

partage, *m.*, sharing, division.

parti, *m.*, part, party, decision,
step.

particulier, particular, special.

partie, *f.*, part, portion.

partir, to set off, depart.

partout, everywhere.

parure, *f.*, dress, finery.

parvenir, to succeed.

pas, *m.*, step, pace; revenir sur
ses —, to retrace one's steps.

passant, *m.*, passer-by.

passer, to pass, surpass; se —,
to pass, happen; se — de, to
do without, dispense with.

pasteur, *m.*, shepherd.

pastour -e, pâtour, *prov. for* pasteur.

pâtir, to suffer.

pâturage, *m.*, pasture.

pauvre, poor.

pauvret -te, poor little creature.

payer, to pay, pay for.

pays, *m.*, country, region.

paysage, *m.*, landscape.

paysan -ne, peasant.

peau, *f.*, skin, hide.

péché, *m.*, sin, trespass.

pécheur, pécheresse, sinner.

peigner, to comb.

peindre, to paint, describe.

peine, *f.*, pain, trouble; à —,
hardly, with difficulty.

peintre, *m.*, painter.

peinture, *f.*, painting, picture.

pelouse, *f.*, lawn, grassplot.

pencher, to incline, lean; se —,
to bend, stoop.

pendant, during; — que, while.

pénible, painful, laborious.

pensée, *f.*, thought, idea.

penser, to think.

pente, *f.*, declivity, inclination.

percer, to pierce, come through.

perdre, to lose, ruin.

perdrix, *f.*, partridge.

permettre,, to permit, allow.

permis, permitted, lawful.

perron, *m.*, steps, platform.

pervers, perverse, obstinate.

pesant, weight.

peser, to weigh.

petit-enfant, *m.*, grandchild.

petit-fils, *m.*, grandson.

peu, little, but little, few; —
à —, by degrees.

peupler, to people.

peuplier, *m.*, poplar.

peur, *f.*, fear, fright.

peut-être, perhaps.

pied, *m.*, foot, footing.

pierre, *f.*, stone.

pierreux -se, stony, flinty.

pinson, *m.*, finch (bird).

pinte, *f.*, pint.

piquer, to prick, goad

piqûre, *f.*, prick, sting, scratch

pire, *adj.*; pis, *adv.*, worse.

piteux -se, pitiful, piteous.

pitié, *f.*, pity.

plaie, *f.*, sore, wound.

plaindre, to pity; se —, to com
plain.

plaire (à), to please.

plaisanter, to joke, banter.

plaisir, *m.*, pleasure.

plancher, *m.*, floor.

planer, to hover, soar.

plat, flat, insipid.

plein, full, copious.

pleurer, to weep, mourn.

pluie, *f.*, rain, shower.

plumer, to pluck, pick.

plupart, *f.*, most, majority.

plus, more; no more.

plutôt, rather.

poche, *f.*, pocket.

poids, *m.*, weight.

poignée, *f.*, handful.

poignet, *m.*, wrist.

point, *m.*, point, degree; à —
to the point, at the right
time; (ne) —, not at all.

MARIN UNION
JUNIOR COLLEGE

pointe, *f.*, point, top, bit, dawn.
poire, *f.*, pear.
poliment, politely.
poitrine, *f.*, chest, breast.
pomme, *f.*, apple; — de terre, potato.
pommeau, *m.*, pommel.
porc, *m.*, hog, pig.
porcher, *m.*, swineherd.
porte, *f.*, door, gate.
porté, induced, inclined.
portée, *f.*, reach, shot.
porter, to carry, bear, wear.
posséder, to possess.
possible, possible; *as n.*, possibility, utmost, best.
poudre, *f.*, powder; — à canon, gunpowder.   [ed.
poumonique, *prov.*, weak-chest-
pourquoi, why.
pourtant, however.
pourvoir, to provide, supply.
pourvu que, provided that.
pousser, to push, drive, urge.
pouvoir, to be able, can, may; se —, to be possible, can be.
prairie, *f.*, meadow.
pré, *m.*, meadow.
précipiter (se), to rush, hasten.
précisément, precisely.
préjugé, *m.*, prejudice.
prendre, to take; se — à, to set about, begin ; s'en — à, to lay the blame on, blame.
près de, by, close to, near; de —, close, near by.
presque almost.
presser, to press, urge; se —, to hasten, hurry.
prêt, ready, prepared.
prétendant, *m.*, suitor.
prétendre, to pretend, claim.
prétendu, *m.*, intended, suitor.
preuve, *f.*, proof, evidence; à — que, in proof of which, since.
prévoir, to foresee.
prier, to pray, beg, invite.

prière, *f.*, prayer.
prise, *f.*, taking, hold.
priver, to deprive.
prix, *f.*, prize, price.
procéder, to proceed.
procès, *m.*, lawsuit.
prochain, next, approaching; *as n.*, neighbor.
produire, to produce.   [spring.
progéniture, *f.*, progeny, off-
proie, *f.*, prey.
projet, *m.*, project, plan.
promener (se) to walk, take a walk.
promettre, to promise.
prononcer, to pronounce, utter.
propos, *m.*, purpose, subject, talk; à — de, on the subject of, with respect to.   [neat.
propre, proper, own; clean,
propriété, *f.*, property.
protéger, to protect, defend.
provenir, to proceed, arise, accrue.
provoquer, to provoke.
prunelle, *f.*, sloe, wild plum.
puis, then.
puiser, to draw, derive.
puisque, since, seeing that.
puissance, *f.*, power.
puissant, powerful, mighty.
punir, to punish.
pur, pure, unalloyed.

quadrige, *m.*, span *or* team of four
quand, when; — même, even if, although.
quant à, as to, as far as.
quart, *m.*, quarter.
quasi, almost, nearly.
quatrain, *m.*, quatrain, stanza of four lines.
quel -le, which, what; — que, whicheyer, whoever.
quelconque, whatever.
quelque, some, any, a few.
quelque . . . que, however.

quelqu'un, some one, any one.
quémandeur -se, beggar.
queue, *f.*, tail, stalk.
quitter, to quit, leave.
quoi, what ; — **que,** whatever.
quoique, although.

rabattre, to beat down, lower, abate.
raboteux -se, rough, uneven.
racine, *f.*, root.
raconter, to relate.
radieux -se, radiant.
raide, rigid, stiff, steep. [ness.
raideur, *f.*, stiffness, steep-
railler, to jeer, jest.
raison, *f.*, reason, right.
raisonnement, *m.*, reasoning, argument.
raisonner, to reason, argue.
raisonneur, *m.*, reasoner, ar-guer; *as adj.*, talkative.
rallumer, to light again.
ramasser, to pick up.
ramée, *f.*, arbor.
ramener, to bring back.
ramper, to creep, crawl.
rang, *m.*, rank, row, turn.
rangé, steady, staid.
rangée, *f.*, row.
ranimer, to revive, arouse.
rapiécer, to piece, patch.
rappeler, to call back, recall.
rapport, *m.*, relation, connec-tion, harmony.
rapporter, to bring back.
rapprocher, to bring near ; **se —,** to draw near.
rassasier, to satisfy.
rattraper, to retake, overtake.
ravir, to snatch, ravish, charm.
ravissement, *m.*, rapture.
rebondi, plump, round.
rebuter, to repulse, rebuff ; **se —,** to back down, despond.
réchauffer, to warm again.
recherche, *f.*, search, inquiry, affectation, elegance.

rechercher, to search, seek, court.
récit, *m.*, recital.
réclamer, to claim, demand.
recommander, to recommend, request.
reconnaisance, *f.*, recognition, gratitude.
reconnaître, to recognize, ac-knowledge.
recoucher, to put to bed again.
récrier (se), to cry out, protest.
rectiligne, rectilinear.
recueillir, to collect, receive.
reculer, to put off, delay, re-cede.
redire, to repeat.
redouter, to dread.
réduire, to reduce.
réellement, really.
réfléchir, to reflect.
reflet, *m.*, reflection, reflex.
refléter, to reflect (light).
refus, *m.*, refusal.
regard, *m.*, regard, look.
regarder, to regard, look at.
règle, *f.*, rule.
régler, to rule, settle.
rein, *m.*, kidney; *pl.*, loins.
réjoui, joyful, glad.
réjouir, to rejoice ; **se — de** to enjoy. [lieve.
relever, to lift up, raise, re-
réléguer, to relegate, banish.
remède, *m.*, remedy.
remener, to take, carry, back.
remercier, to thank, dismiss (with thanks).
remettre, to remit, deliver ; **se —,** to resume, recover.
remonter, to reascend, re-mount.
remplacer, to replace.
remplir, to fill, fulfil.
remuer, to move, stir.
rencontre, *f.*, meeting, occur-rence.
rencontrer, to meet, meet with.

rendormir (se), to fall asleep again.

rendre, to render, restore, return; se —, to surrender, become, go.

rêne, *f.*, rein.

rengorger (se), to bridle up.

renier, to deny, disown.

renommée, *f.*, renown, fame.

renoncer (à), to renounce.

renoncement, *m.*, renunciation.

renseignement, *m.*, information.

renseigner, to inform, instruct.

rentier -ère, bond-holder, capitalist. [back.

rentrer, to come back, hold

renvoyer, to send back again, dismiss.

réparer, to repair, retrieve.

repartir, to set off again.

repas, *m.*, repast, meal.

repéter, to repeat.

répondre (à), to answer; — (de), to answer for.

réponse, *f.*, response, answer.

repousser, to push back, repulse.

reprendre, to resume, reply.

reprocher (à), to reproach (one with).

résolument, resolutely.

résonner, to resound.

resplendir, to shine brightly.

ressortir, to come out, appear, result.

rester, to remain.

résultat, *m.*, result.

retenir, to retain, restrain.

retirer, to withdraw.

retomber, to fall back, relapse.

retour, *m.*, return; de —, returned, back again.

retourner, to return, turn back.

retrancher, to retrench; se —, to confine *or* intrench one's self. [cover.

retrouver, to find again, reréussir, to succeed.

rêve, *m.*, dream.

réveiller, to awake, arouse.

revenir, to come back, return, accrue, recover.

rêver, to dream, muse.

revoir, to see again.

rhabiller, to dress again.

rhume, *m.*, cold, bad cold.

richesse, *f.*, riches, wealth.

rire, to laugh; riant, smiling.

robe, *f.*, robe, dress, coat.

rôdour, *m.*, roamer, prowler.

roman, *m.*, romance, novel.

rompre, to break, snap.

ronde (à la), round about.

ronger, to gnaw, champ.

rouer, to crush.

rouge, red; *as n.*, red, redness.

rougir, to redden, to blush.

rouler, to roll.

ruade, *f.*, kick (of horses, etc.).

ruche, *f.*, hive.

rude, rude, rough.

rudement, rudely, roughly.

ruelle, *f.*, narrow street, space between bed and wall.

rusé, artful, cunning.

rustre, *m.*, boor.

sable, *m.*, sand, gravel.

sac, *m.*, sack, bag.

saccadé, jerking, irregular.

sacré, sacred, holy.

sage, wise, modest. good.

sagement, wisely, discreetly.

sain, sound, healthy.

saint, sacred; *as n.*, saint.

saison, *f.*, season.

salut, *m.*, safety, salvation.

salutaire, salutary, wholesome

samedi, *m.*, Saturday.

sang, *m.*, blood, race.

sangle. *f.*, strap, girth.

sangloter, to sob.

santé, *f.*, health.

satisfaire, to satisfy, please.

sauf, save, except.

sauter, to leap, jump.

sauvage, savage, wild.
sauver, to save; se —, to escape, run off.
savoir, to know, know how, be able.
sceau, *m.*, seal.
scélérat, *m.*, scoundrel, villain.
sec, sèche, dry.
sécher, to dry.
secouer, to shake.
secousse, *f.*, shake, shock.
séculaire, aged, venerable.
Seigneur, *m.*, Lord.
sein, *m.*, bosom, womb.
séjour, *m.*, sojourn.
selle, *f.*, saddle.
selon, according to.　　[time.
semailles *f. pl.*, sowing, seed-
semaine, *f.*, week.
sembler, to seem.
semence, *f.*, seed, sowing.
semer, to sow, sprinkle.
sens, *m.*, sense.
sensible, sensitive.
sentir, to feel, smell, smack of.
seoir, to suit, become, fit.
serrer, to press, wrap, grasp.
servir, to serve; — de, to serve as; se — de, to make use of, use.
seuil, *m.*, threshold.
seul, alone, sole, single.
seulement, only, solely, even.
si, if.
si, so; yes.
siècle, *m.*, century, age.
siffler, to whistle.
signalement, *m.*, description.
sillon, *m.*, furrow.
simulacre (simulachre), *m.*, image.
simultanément, simultaneously.
singulier, singular.
sinon, if not.
soc, *m.*, ploughshare.
sœur, *f.*, sister.
soie, *f.*, silk.
soif, *f.*, thirst.

soigner, to take care of.
soin, *m.*, care.
soir, *m.*, evening.
sol, *m.*, soil, ground.
soleil, *m.*, sun.
solennel -le, solemn.
solennité, *f.*, solemnity.
somme, *m.*, nap.
sommeil, *m.*, sleep.
son, *m.*, sound.
sonder, to sound, probe.
songer, to dream, think, intend.
sorcier -ière, wizard, witch.
sort, *m.*, fate, lot, spell.
sorte, *f.*, sort, kind.
sortie, *f.*, coming out, issue.
sortir, *trans.*, to take out; *intrans.*, to come out, go out.
sot, foolish; *n.*, a fool.
sottise, *f.*, silliness, folly.
souche, *f.*, stump, stock, log.
souci, *m.*, care, anxiety.
soucier (se), to care.
soucieux -se, careful, anxious.
souffler, to blow, breathe, snuff.
soufflet, *m.*, bellows, blow.
souffrance, *f.*, suffering.
souffrir, to suffer.
souhait, *m.*, wish, desire.
souhaiter, to wish.
soulever, to lift, raise, stir up.
soulier, *m.*, shoe.
souper, to sup, take supper.
souper, *m.*, supper.
soupir, *m.*, sigh.
soupirant, *m.*, wooer, suitor.
sourd, deaf, dull, deep.
sourire, to smile.
sourire *or* souris, *m.*, smile.
soustraire, to take away, remove; se —, to withdraw, escape.
soutenir, to support, sustain.
soutien, *m.*, support, prop.
souvenir (se), to remember.
souvenir, *m.*, memory, memorial.

souvent, often.

squelette, *m.*, skeleton.

suaire, *m.*, winding-sheet, shroud.

suave, sweet, pleasant.

subir, to undergo, submit to.

sueur, *f.*, sweat, perspiration.

suffire, to suffice, be enough.

suite, *f.*, succession, consequence, retinue; de — in succession, next; tout de —, at once.

suivre, to follow.

sujet, *m.*, subject, person.

superbe, superb, proud.

sur, on, upon, concerning.

sûr, sure, certain, safe.

surcharger, to overload.

surnuméraire, supernumerary.

surprendre, to surprise.

surtout, especially.

surveillance, *f.*, surveillance, supervision.

syllabe, *f.*, syllable.

tableau, *m.*, picture, painting.

tablier, *m.*, apron.

tâche, *f.*, task, effort.

tâcher, to try, endeavor.

taille, *f.*, cut, shape, stature; copse.

taillis, *m.*, thicket, underwood.

taire, to keep secret, conceal; se —, to be silent, hush.

tandis que, while.

tant, so much, so many, so long ; — que, so long as, while.

tantôt, now, just now, soon.

taper, to strike, hit, dash.

tard, late.

tarder, to delay, be late.

tâter, to touch, feel.

tâtons (à), feeling one's way, groping.

taureau, *m.*, bull.

taxer, to tax, charge.

teint, *m.*, color, complexion.

tel -le, such ; un —, such a (one).

tellement, so, in such a manner.

témoignage, *m.*, testimony.

témoin, *m.*, witness.

temps, *m.*, time, weather.

tendre, to stretch, extend.

tendresse, *f.*, tenderness, affection.

tenir, to hold, keep; — à, to insist on, resist, depend on; — de, to partake of, be taken with ; se —, to stand, remain.

tentation, *f.*, temptation, trial.

tenter, to attempt, try.

terme, *m.*, end, limit.

terrain, *m.*, ground, field.

terrasser, to throw down, crush.

terre, *f.*, earth, land, ground.

têteau, *m.*, branch, bough, top.

tête, *f.*, head.

tiède, lukewarm, tepid.

tiens (tenir), hold ! see ! come !

tige, *f.*, trunk, stalk, bough.

timon, *m.*, pole, shaft.

tirer, to draw, pull, shoot.

toiser, to measure, survey.

tombe, *f.*, tomb, tombstone.

tomber, to fall.

ton, *m.*, tone, sound tune.

tort, *m.*, wrong.

tôt, soon, shortly.

touchant, touching, concerning.

toucheur, *m.*, toucher, driver.

touffe, *f.*, tuft, cluster.

tour, *m.*, turn, circuit.

tourmenter, to torment, torture.

tourner, to turn, turn round.

tournure, *f.*, turn, shape.

tout, every, all, whole; *adv.*, wholly, entirely; pas du —, not at all; tous (les) deux, both.

trace, *f.*, trace, track.

train, *m.*, train, course; en — de, about to, in the act of.

traîner, to draw, drag.

trait, *m.*, trait, feature.
traiter, to treat; - **de,** to treat as, call.
tranchant, *m.*, edge.
tranquille, tranquil, quiet.
transmettre, to transmit, transfer.
trapu -e, squat, thick-set.
traquer, to hem in, catch.
travail, *m.*, labor, work, toil.
travailler, to labor, work.
travailleur, *m.*, laborer, worker.
travers (à), through, across.
traverser, to traverse, cross.
trembler, to tremble, vibrate, trill. [thirty.
trentaine, *f.*, thirty, about
trésor, *m.*, treasure. [ple.
trinquer, to touch glasses, tip-
triste, sad, sorrowful.
tristesse, *f.*, sadness, sorrow, gloom.
tromper, to deceive; **se —,** to be mistaken, blunder.
trompeur, deceitful, delusive.
trop, too, too much, too many; **de —,** in excess, superfluous; **par —,** quite too much, overmuch; **pas —,** not quite, hardly.
troupeau, *m.*, flock, herd.
trouver, to find; **se —,** to be, happen (to be).
tuer, to kill, slay.
tue-tête (à), with all one's might.
tutoyer, to thee-and-thou, to address familiarly.

uni, smooth, level, uniform.
unique, only, sole.
unir, to unite, combine.
usage, *m.*, usage, use, wear.
user, to wear out, use up.
utile, useful, profitable.

vache, *f.*, cow.
vaincre, to conquer.

vaisselle, *f.*, plate (*collective*).
valet, *m.*, valet, servant.
valeur, *f.*, value, worth, valor.
valoir, to be worth; **— mieux,** to be worth more, be better.
vase, *f.*, mud, slime.
vaseux -se, muddy.
veille, *f.*, watch, eve, evening before.
veiller, to watch, be awake.
veillée, *f.*, watching, night's watch.
vendre, to sell.
venir, to come; **— de,** to have just (done); **— à,** to come to, happen.
vent, *m.*, wind.
vente, *f.*, sale.
ventre, *m.*, belly, womb.
verger, *m.*, orchard.
vérité, *f.*, truth.
vermeil -le, ruddy, rosy.
verre, *m.*, glass.
vers, *m.*, verse.
vers, towards, about.
verser, to pour, shed.
vert, green.
vertu, *f.*, virtue.
vêtement, *m.*, garment.
vêtir, to clothe.
veuf -ve, widowed; *as n.*, widower, widow.
veuillez (vouloir), please.
veuvage, *m.*, widowhood.
viande, *f.*, meat, food.
vide, empty, void, vacant.
vider, to empty.
vie, *f.*, life, livelihood.
vieillard, *m.*, old man.
vieillir, to grow old.
vieux, vieil -le, old; *as n.*, old man, old woman.
vif -ve, alive, lively, quick.
vigne, *f.*, vine, vineyard.
vigoureux -se, vigorous, strong.
vigueur, *f.*, vigor, strength.
vilain -e, ugly, vile.
visage, *m.*, face, look.

vis-à-vis, opposite.
vite, swift, quick; *adv.*, swiftly, quickly, fast.
vivement, quickly, earnestly.
vivre, to live.
voici, here is, are.
voilà, there is, are.
voiler, to veil, cover.
voisin, neighboring, near; *as n.*, neighbor.
voisinage, *m.*, vicinage, neighborhood.
voir, to see, look.
voix, *f.*, voice.
voler, *n.*, to fly; to steal.

volonté, *f.*, will, wish.
volontiers, willingly.
vorace, voracious, greedy; *as n.*, glutton.
vouloir, to be willing, wish; — de, to wish for, want; en — à, to blame, be angry with.
voyage, *m.*, journey.
voyager, to travel.
voyageur -se, traveler.
vrai -e, true, real; *also for*
vraiment, truly, really.
vraisemblable, likely, probable.
vu que, seeing that, since.
vue, *f.*, sight, view.

PARAPHRASES

FOR

RETRANSLATION INTO FRENCH.

EXERCISE I.   Page 13, lines 6–20.

"The time is come, Germain, when you[1] must think of[2] marrying again.[3] You owe it to yourself and to *us*." "Well," replied Germain, "if it must be-so (le), I will try[4] to please you.   But I had rather[5] drown myself than (de) take another wife.   It is not easy to find another like her[6] (whom)✻ I have lost.   I have had the misfortune to lose her, but I do not believe that I shall ever come[7] to forget her.   What other woman could be as beautiful and gentle, as courageous and skillful, as good to her children and ( ) husband?   Never shall I forget her, and no other can take her place[8] in my heart."

1. Use **vous**, generally, in these exercises. 2. **à**, with infin.
3. Comp. verb. 4. **tâcher de**. 5. **aimer mieux**. 6. Not **elle**. 7. Pres.
subj. 8. **remplacer**.

EXERCISE IJ.   14, 3–15.

"I will render you the justice, Germain, to[1] say that you have never disobeyed (à) my counsels.   You have always done my will, and I believe ( ) you will now yield to my good reasons.   When I say that you ought to marry again, I

✻ The sign ( ) indicates that something is to be supplied; [ ], that something is to be omitted.   Italics call attention to special idioms.   A note once given will not, generally, be repeated.

do not mean that you shall take a wife who does not suit[2] you. A young girl is not what you need, but a good woman of about the same age as yourself, who will not find you too old and will know-how-to[3] rear your children. If a woman finds[4] that a burden, and if[5] she complains of it,[6] you will suffer, and your children too. A young girl would not easily accept such a duty. A wife must[7] be neither too young nor too old for her husband."

1. de. 2. convenir à. 3. savoir. 4. tenir pour. 5. que, with subj. 6. en. 7. il faut que.

Exercise III. **18**, 2–27.

" I know the daughter of a friend of mine[1] who would suit you perfectly. She[2] is a young widow, whose money would be very useful in your little family. You must try to please her and *make her*[3] please you." " But I have never seen her, and I have not (the) time to go [to] see her." " If you know what you want, there is no need[4] to lose much time. Next[5] Saturday, if you start in the afternoon, you will reach[6] her house by night. Put on your new clothes and take the young mare—a suitor should have a good appearance. I will send some game, which you shall present from me. You will stay there all-day Sunday, and receive your answer before[7] leaving Monday morning."

1. un de, etc. 2. Not elle. 3. Trans. by subj. 4. il faut. 5. prochain. 6. arriver chez. 7. avant de.

Exercise IV. **18**, 30–**19**, 19.

Though he consented to what his father-in-law said,[1] Germain was not at all satisfied. He had married at twenty ( ) and had never loved any other [woman] than his wife. Since her death he had remained faithful to the memory of *her* whom he had loved so much, and he wept-for her often in secret. Solitude was beginning to weigh upon him; yet the idea of a new marriage frightened him. "Love," said he to himself, "might[2] console me if it came upon me by surprise,[3] but not otherwise. To seek it is[4] to find it not." These unknown projects, which Father Maurice had shown him, made him reflect; and, though he struggled no longer, he suffered with a deep pain.

1. Subject after verb. 2. **pouvoir**, cond. 3. **Tr.** by verb. 4. **c'est.**

Exercise V. **20**, 3–32.

( ) Old mother Guillette had come to Father Maurice's to get[1] some fire, and was chatting with his wife when he entered. "I was just asking your wife," said the old [lady], "if Germain has finally decided[2] to marry again.[2] Tell me the truth; I will not abuse your confidence." "Yes," answered the old [man], "he has made-up his-mind;[3] to-morrow he is going to see a widow who lives at Fourche." "Why, how well that suits me![4] There is an affair in which you can oblige me much if you will." "What is it?" "Will you permit Germain to take my daughter Marie with him? She is going to enter service near Fourche. The time is come when she must earn her living."

1. **chercher.** 2. reflexive. 3. **se résoudre.** 4. Say: how . . . well.

Exercise VI. **22**, 5–20; **23**, 10–15.

"It will give me pleasure to[1] consent to that," answered Father M. "Your daughter is still young, but she is old enough to[2] work, and she must learn a business by serving others." "Yes, she has already engaged herself and will be ready to start to-morrow. But I should fear to[1] send her so far all alone. I hope ( ) your son-in-law will take her as-far-as[3] Fourche, since he is going there. But there is Germain himself, *coming-in* to supper; I will ask him (it)." Ger-

main replied that he would do it willingly. So, the next
day Marie, weeping, embraced her weeping mother and got·
up behind on the mare. "Good-bye, my dear daughter,"
sobbed⁴ the old woman ; "be good, and save your shoes as
much as you can." ⁵

1. de. 2. pour. 3. jusqu'à. 4. Say: said (in) sobbing. 5. Fu-
tu⁻e. Use tu here.

EXERCISE VII. 26, 5–34.

When Marie had dried her tears, and¹ they were chatting
together, suddenly something in the bush(es) frightened the
mare. "Let us see what² it is," said Marie. Germain
dismounted, and there in a ditch, covered with thick leaves,
was-sleeping his little boy. The child opens *his* eyes and
smiles on his father. Then he throws his arms around his
neck and says tenderly : "( ) dear father, take me with
you.³ I went-to-sleep here while waiting-for you." "But
were you³ not afraid⁴ ( ) a wolf would eat you? If we
had passed without seeing you, what would have *become of
you?*⁵ But I cannot take you ; grandma does not wish it.
Come, let me kiss⁶ you, and tell Marie good-bye." Then
the child began to⁷ cry.

1. et que. 2. ce que. 3. Use tu. 4. craindre—the neg. question is here equivalent to an affirmative. 5. devenir, with personal subject. 6. Subjunctive. 7. à.

EXERCISE VIII. 28, 21—29, 10.

The little [fellow] clung to Marie's skirt so strongly that
it would have been impossible to loose him from-it¹ without
hurting² him. Clasping³ her hand in his,⁴ he begged her to
take his part, well knowing that her good heart could not
resist (à) his prayer. "Come, Germain," said she, "let us
take the poor little fellow. See how he is weeping. He asks
your pardon for⁵ having disobeyed your wish, and will

never do it again;"—and she put his little brown hand in his father's and drew them both⁶ gently towards the mare. Already tears in Germain's eyes were showing that he would yield. "Ah! Marie," said he, placing the little fellow tenderly on the goat-skin saddle, "you are spoiling *me* that chap."

1. **en.** 2. The double (implied) neg. = affirmative. 3. **serrer.**
4. plural. 5. **de.** 6. **tous (les) deux.**

Exercise IX. **31,** 13–29.

Before noon the little fellow had fallen asleep¹ quietly in Marie's arms. About two² o'clock they arrived at a little inn, where they dined and rested³ more *than* an hour. Starting again on the road, in order not to fatigue the child too-much,⁴ Germain proceeded very slowly, so that night *had* almost come when they entered the avenue that led to the wood(s). Germain knew only the high-road⁵ which he had often followed, ( ) going to the fair. This time he tried a shorter road; so that it was already quite dark when they reached the great forest. Having entered it⁶ by an unknown road, he went astray⁷ without perceiving it, and could no longer find-his-way.⁸ A thick fog was rising, which⁹ rendered the darkness still more deceptive.

1. **s'endormir.** 2. **vers les,** etc. 3. **se reposer.** 4. **ne pas trop,** before the verb. 5. **la grand'route.** 6. **y.** 7. **se tromper.** 8. **s'orienter.** 9. **ce qui.**

Exercise X. **33,** 1–20.

"We are lost,"¹ said Marie. "We must get-down. The *rising*² fog prevents you from seeing clearly on horseback."³ When they *had* alighted she took the child and covered him gently under her cape, while Germain led⁴ the mare by the bridle. The fog increased⁴ and spread over the damp ground. They walked painfully, seeking a dry spot, which they found at last under a large oak. Without

complaining of anything, Marie busied herself to⁵ care-for
the child. Seated on the dry sand and arranging her cape
over him, she had soon put-him-to-sleep⁶ on her knees.
Meantime Germain had tied the gray-mare to a tree. But
she,⁷ very tired of this trip, broke-loose,⁸ and freeing herself
from the reins, started off in the road by which she had
come. Germain tried in vain to catch her.

1. Use voilà. 2. Use relative. 3. à cheval. 4. Imperfect.
5. à soigner. 6. endormir. 7. celle-ci. 8. se détacher.

EXERCISE XI. 34, 1–28.

"Well, we must be patient," said Marie. "This little
hill is not so bad. These thick leaves protect us from the
rain, and with a few old dry chunks we can soon kindle *a*
fire." "But I have no fire," said Germain. "The mare
has carried off my tinder-box, which was in my bag on the
saddle." "Why, blind [fellow] that you are, there they all
are,¹ almost under your eyes. The gray threw off everything when she started. Now if you [will] pick-up² some
dry wood, while I make a bed for the child, we shall soon
dry ourselves." "But with what will you make him a
bed?" "With the saddle; that³ is not hard to do. Turn
it upside down and prop⁴ it up with small stones. Now,
wrap me his feet in your cloak; and see! *the thing's done.*"

1. Use voilà. 2. ramasser. 3. ce (or ça). 4. Note pron. object
with successive imperatives.

EXERCISE XII. 38, 7–39, 8.

"I have never met *any* girl smarter than you," said
Germain, quite surprised. "You were-crying like a child
when you left¹ home, but neither your grief nor your youth
prevents² you from thinking of others more than of yourself.
*He*³ 'll be *no fool* that chooses you for his wife. You are a
good girl and deserve a good husband. Tell me, do you

know any one who would please you?" "I could not tell you that, Germain, for I have never yet thought of marrying."[4] "But you are old enough. Why have you never thought of it?" "I cannot think of it until[5] I have money enough to go-to-housekeeping." "I will make you a present of it, provided ( )[6] Father Maurice [will] give it to me. Nobody will suppose that *I*[7] have[8] the intention—" "Your child has waked up," said Marie suddenly.[9]

1. partir de. 2. Number? 3. Not il. See grammar for **celui** or **celui-là**. 4. Infin. 5. que . . . ne with subj. 6. **pourvu que**, with subj. 7. **moi**. 8. Subjunctive. 9. **brusquement**.

Exercise XIII. 41, 17–36.

The little fellow raised his head, rubbing[1] *his* eyes, and looking-at them both with an astonished air. "I had forgotten to say my prayer," said he; "I did not think of it before I went[2]-to-sleep. I want[3] to say it now, but I cannot[4] unless[5] Marie [will] help me a little." Then, kneeling before her, he joins his little hands and begins to recite his *evening* prayer. At first he repeats, all by-himself,[6] what he knows of it. But reaching some words which he has forgotten, he stops[7] and waits for[8] Marie to dictate them to him. Soon sleep overcomes him again. Marie repeats the words to him two or three times, but in vain. His head falls upon her breast; his hands relax, his eyes close, and he is fast[9] asleep,[10] while Marie holds him gently in her arms.

1. frotter. 2. Infin. 3. **vouloir**. 4. Supply *it*. 5. **sans que**. 6. **seul**. 7. Reflexive. 8. **que** with subj. 9. **profondément**. 10. **dormir**.

Exercise XIV. 42, 3–21.

This touching spectacle inspired Germain *with* so much gratitude that he sought vainly to find words that could[1] express what he thought of it.[2] Approaching Marie, he pressed his lips to the brow of the sleeping child, whom she still held upon her bosom. "Don't kiss him so hard," said Marie; "I am afraid ( ) you will wake him. Let him [alone], I will put him to bed again." But the child, already half[1] awaked, opened his eyes, as she laid him down, and fixed them silently for a moment upon the thick branches that hung[4] over him, as if he were-dreaming. Then suddenly, seeming to recall[5] a forgotten idea, he stammered[6] slowly: "Father, I beg you that little Mary may be my new mother—" and was asleep again.

1. Subjunctive.   2. Distinguish **penser de, penser à.**   3. à demi.
4. pendre.   5. rappeler.   6. balbutier.

EXERCISE XV.   **47, 11–27.**

After 11 o'clock[1] the stars began to shine through the *scattering*[2] fog, and from time to[3] time the moon, showing herself from behind the clouds, made the beech-trees shine[4] like rows of white ghosts. The frogs, at first frightened to silence, began to accustom themselves to the sight of the fire and to utter a few timid notes, which soon increased[5] more and more. Tired of solitude, and of his [own] disquieting[6] thoughts, Germain sought to amuse himself by[7] singing. Without confessing it he hoped also to awake Marie. When he saw that she had risen, he approached her and said: "Let us start[8] again. Soon it will be[9] so cold here that it will be impossible to stand it, and when the moon sets, we shall no longer be able to find-our-way.[10] Perhaps we[11] shall find some house."

1. heures.   2. Use relat. pron.   3. from . . . to, de . . . en.
4. Say: made shine, the verbs standing together.   5. croître
de . . en . .   In this descriptive passage use impf. tense.   6. inquiéter.   7. à.   8. se remettre, etc.   9. Not être.   10. se conduire.
11. Position?

EXERCISE XVI.   **47, 33—48, 20.**

Marie was still very *sleepy*, yet she obeyed Germain's wish without saying *anything*. *The latter*, taking in his arms his still sleeping son, approached Marie, and covered her with his cloak, since her cape remained still wrapped around the child. But this sweet contact made ( ) poor Germain[1] lose his head. At one moment[2] he left her quite uncovered;[3] at the next[2] he drew her so close to him that she dared not let him[1] see[4] how surprised and offended she was. As for[5] Germain, he did not know what was happening[6] to him. At last a light, which he perceived in-front-of[7] them, recalled him to himself. "Here is a house," cried he. But it was the same fire ( ) he had himself lighted. After two hours [of] walk they found themselves again at the point from which[8] they *had* started.

1. Indirect. 2. tantôt . . . tantôt. 3. découvrir. 4. faire voir. 5. quant à. 6. arriver. 7. devant. 8. d'où.

EXERCISE XVII. 51, 26—52, 5.

Marie put the little one again[1] to bed, but neither she nor Germain could sleep [any] more. Germain seated himself [with] *his* back turned to Marie, so that she could not guess what he was doing nor what[2] he was thinking about. As she dared not ask him (it) *and*[3] could not go to sleep, she busied herself with watching the child, whom Germain seemed to have entirely forgotten. But Germain was not asleep *either*.[4] As he reflected on his lot, a mountain of sorrow seemed to weigh upon his heart. He wished he *had* never been[5] born. He would have wept if he could,[6] as he thought of the wife he had lost, of *the one* he was going to seek against-his-will,[7] and of little Marie whom he had to give-up;[8] and—what was worst—his pain was mingled with[9] anger against himself.

1. Compound re-. 2. quoi. 3. et que. 4. non plus. 5. Infin. 6. Say: if he had been able. 7. malgré lui. 8. renoncer à. 9. de.

EXERCISE XVIII. 52, 6–35.

Day having come, they prepared [1] to finish their journey.
Germain knew not what [2] to say to Marie ; so he kept-silent.
They came out of the woods, without knowing in what direction *to start*. [3] A woodman happening [4] to pass, Germain
explained to him where each wished to go, and asked him to
show them the right way, which [5] he did. "You have only
to pass a little stream down-yonder," [6] said he, "and you
will soon see the two houses, which are, moreover, very near
(to) each other." Then he added [7] : "Have you, perhaps,
lost a horse? There is in my yard a gray mare which seems
to have taken refuge [8] there for fear of the wolves. Come; if
she is *yours*, you shall take her." Germain followed the
woodman to the shed, where they found the gray, who
pricked [9]-up her ears and neighed [10] joyously on recognizing
her master.

1. s'apprêter à.   2. que.   3. Say: they should (devoir) start.
4. venir à.   5. oe que.   6. là-bas.   7. ajouter.   8. se refugier.
9. dresser.   10. hennir.

      *   *   *   *   *   *   *   *
      *   *   *   *   *   *   *   *   *

EXERCISE XIX. 56, 1–22.

Having arrived at [1] the Guérins', Germain was presented
to the young widow whom he had come to see. Though
she was neither old nor ugly, she was neither as young nor
as pretty as little Marie, and in [2] Germain's eyes her free
manners and bold pleasantry did not suit her age or condition. [3] She was seated at a table, surrounded by three suit-
ors, who were eating and drinking as if they were there for
the whole day. Germain was forced to sit down with them
and to take part in [2] the conversation. The table was loaded
with fine plate, which the widow seemed to love to display.

Germain seated himself opposite to her and entertained her *the best he could*, though he felt ill at ease. The old man addressed him rough [4] jokes, while the three rivals exchanged with each other [5] secret glances of disdain.

1. chez.   2. à.   3. l'état.   4. lourd.   5. entre eux; or use l'un and l'autre.

Exercise XX.   57, 2–22.

Though laughing [1] at all her father's follies, as if she had admired them, the widow did not fail [2] to encourage Germain in a manner which embarrassed him greatly. She smiled, and sighed, and cast down her eyes in speaking to him, as if she were already in love [3] with him. But this was, for him, a reason the more [4] for keeping himself on the defensive, and he took good care [5] *not* to commit himself. When the time came to go to mass, he was as tired of the widow as of his long journey, and would have much preferred to take a good nap ; but he had to go with the others. The road was crowded with people, and the widow walked [with] *a* high head, like a queen escorted by her retinue. Germain refused to join [6] her train and walked aside with the old man, conversing with him as if they formed no [7] part of the company.

1. tout en.   2. manquer de.   3. amoureux de.   4. de plus.   5. se garder bien de.   6. se joindre à.   7. Negative with the verb.

Exercise XXI.   59, 25—60, 10.

When they had returned [1] from mass, Germain told the widow's father that he had not come to [2] ask his daughter in marriage, but to buy a pair of oxen, if he could find any [3] that would suit his father-in-law. The old man seemed much surprised, but he replied quietly that if Germain really wished to buy oxen, they would go *and* see them, whether they made the bargain or not. Germain begged that he should not disturb [4] himself; "for," said he, "I know where to find the beasts;" and he started-off alone toward a meadow where, in fact, he had seen some oxen *grazing*.[5] "I know," thought he, "that Father Maurice wishes to buy some, and if I carry-back to him a fine pair at a lower price than he would buy [6] them at the fair, he will better pardon me for having missed the true object of my journey."

1. être de retour. 2. pour. 3. en. 4. Subjunctive. 5. paître. 6. Use ne, after comparative.

EXERCISE XXII. **60,** 11–27.

But it was the hope of seeing little Marie again, not [1] of buying oxen, that made him walk so fast. He believed that he had driven-away the thought of possessing her, but he was mistaken. All that he had just seen—this idle and silly life, so different from his own—what he had seen and heard of city [2] manners—this woman at once vain and foolish, whom the others encouraged in her habits of pride and coquetry—in a word,[3] all that he had had [4] to undergo for some hours gave Germain a profound disgust, which now increased his desire to be once more with Marie and the little [boy]. Not that [5] he was in love with her—so he [6] tried to persuade himself—but he needed [7] her to restore his spirits. But in vain he [6] searched in the fields where he thought they must [4] be; he saw them nowhere. He thought only of them, and quite forgot the oxen he had come to find.

1. Pas, or non pas. 2. Plural. 3. enfin. 4. devoir. 5. Ce n'était pas que, with subj. 6. Position? 7. avoir besoin de.

EXERCISE XXIII. **64,** 10–36.

Suddenly the noise of an approaching [1] horse made *Germain arrest* his steps. It was the farmer with [2] whom Marie had entered (into) service. Germain did not know him, but an instinct told him that it was he. He turned and waited for him to come up.[3] The latter asked Germain if he had seen a young girl pass on the road. Germain angrily[4] asked what he wanted with her. The man replied quietly that it was a servant-girl he had hired for the year without having seen her, but whom he had dismissed because she seemed too young ; that in leaving she had been so hurried that she had forgotten her purse, which he wished to restore to her if he met her. This story seemed probable enough, and Germain would not have[5] hesitated to believe it if something in the man's look had[5] not inspired *him with* a terrible suspicion.

1. Not pres. part. 2. chez. 3. arriver, subj. 4. Say : with anger. 5. Use plup. subj.

Exercise XXIV. 65, 16—66, 8.

At this moment Germain noticed a bush which seemed to shake violently. Immediately he saw his little son come-out, leaping[1] like a kid ; but on seeing the farmer the child turned as if to run away.[2] Germain leaped from his horse and caught him in his arms. "Of what are you afraid?" said he. "I am afraid of that bad man, and Marie too. She is hiding there in those bushes, because she fears to meet him." But as soon[3] as she heard Germain's voice, Marie came running, and throwing herself in his arms, she clung to him without uttering a word. Germain looked-at her pale face, her soiled[4] and torn dress, her eyes all trembling and full of tears ; but she returned his look with a tender[5] confidence, in which[6] was no trace of shame. "Here-is your master," said he, "who was looking-for you." "My master," she answered, raising herself with a proud[6] dignity ; "he[7] is not my master ! You,[8] you only, will I serve."

1. Not by en, unless referring to subject. 2. s'enfuir. 3. dès que. 4. salir. 5. Emphatic position. 6. où. 7. Emphatic pron. ; or ça, to express contempt. 8. Emphatic, c'est, etc.

Exercise XXV. **70,** 15–35.

Two days after the events that we have related, our little
company returned to the farm.   Germain had renounced (à)
his marriage with the fair widow.   Marie, brutally maltreated
by the man with [1] whom she had wished to enter into service,
had made her escape [2] and (had) rejoined [3] Germain.   During
their return, which was short, because the gray knew the
way to [4] her stable, they hardly spoke *to each other.* [5]   The
child slept peacefully, without even once waking [6] till [6] they
reached the farm-house.   Germain made the best explana-
nations ( ) he could, [7] recounting the widow's coquetry.   To
this Father Maurice said gravely : " I don't say ( ) you were [8]
wrong, Germain."   Then, when Germain related the insults
from which he had rescued Marie, the old man added: " You
were right, Germain "; and he and his old woman looked-at
each other, got-up, and went-out together.

1. chez.   2. s'enfuir.   3. se rejoindre à.   4. de.   5. Reflexive.
6. jusqu'à ce que.   7. Subjunctive—usually.   8. Perf. subj.

Exercise XXVI. **71,** 12–36.

Germain plunged back into work, vainly seeking a remedy
for his misfortunes. [1]   In vain [2] he resolved neither to speak to
little Marie nor even to look at her ; he could not help [3]
thinking about her.   The more he thought, the less hope he [4]
found.   Besides, he feared that Marie and her mother might
suffer, as she was earning [5] nothing.   But they did not suffer
at all.   In a way which Mother Guillette did not understand,
there was always wood under her shed and [there were]
potatoes in her barn.   This miracle at once disturbed and
delighted the good old woman.   She doubted not that it
was [6] the devil himself; but she dared not say so, for fear of
being considered [7] a witch.   " It will be time to summon the

priest," said she to-herself, "when Satan comes to claim my soul." Marie knew better who it was, but she pretended to know nothing,[8] and said *not a word.*[9]

1. mal. 2. Use avoir beau. 3. s'empêcher de. 4. Say: the less . . . of hope. 5. gagner. 6. Subjunctive. 7. de peur que l'on, etc. 8. rien may precede infin. 9. ne . . . mot.

EXERCISE XXVII. 72, 1–34.

One day, Germain being alone with his mother-in-law, she said to him gently: " My poor boy, what is the matter[1] with you? I see, you suffer.[2] Of what do you complain? Who of us has given you pain?" " I complain of nothing; no one at home has done me *any* harm," answered he. " In that case, it is still worse,"[3] replied she. " You are grieving[4] again over the death of your wife. It is absolutely necessary that you marry again." " Yes, that is what I should like to do ; but among the women you have recommended to me I find no one that suits me. The more I see them, the more I think of my Catherine." " Then, Germain, if we cannot help you, you must *yourself* help *yourself.* Find, if you can, the woman God has made for you." " I have found her already," stammered he ; " but *she will not have me.* That's[5] what's *the matter.*"[1]

1. avoir. 2. How otherwise, if the comma is omitted? 3. pis. 4. s'affliger de. 5. Use voilà, or c'est là, etc.

EXERCISE XXVIII. 74, 18—75, 12.

When Mother Maurice learned that it was old Guillette's little Marie,[1] she was greatly surprised. She did not imagine that a poor girl ( ),[2] to whom Germain did so much honor by seeking her, could have[3] refused him. After a few moments of silence she asked him what reasons Marie had given. " That she did not wish to displease a family to which her [own] owed so much." " But has she told you that she will marry you if we consent to it?'' ''That's the worst [of it], mother. She does not even ⁴ say that she loves me.'' ''For my part ⁵ I think she says that only ⁶ to keep-you-off, because she fears to offend us. Come, Germain; promise not to torment yourself about-it ⁷ for a whole week, and I will see what we can do.'' Germain gave the promise without much ⁸ believing that he could ⁹ keep it, and waited as patiently as he could, forcing himself to seem more quiet than he ( ) ¹⁰ really was.

1. See p. 73, l. 32. 2. Note position and connection of adjectives. 3. Subj. 4. **même pas.** 5. Say: for me. 6. **ne . . . que . . . pour.** 7. **en.** 8. **trop.** 9. Use two forms, infin. and subj. 10. **le.**

Exercise XXIX. 75, 14—76, 4.

Finally, one morning, going to mass, Mother Maurice asked him: ''When did ¹ you speak to Marie for the last time?'' ''It *was* when we were going to Fourche. That is the only time ( ) I have spoken. I should prefer ² never to speak again [rather] than to hear her ³ say again that she does not want ⁴ me.'' ''Well, speak to her once more. Your father-in-law and I have made-up-our-minds ⁵ *to it*, and we insist-on it. How do you hope to persuade her, unless ⁶ you speak to her?'' Germain answered nothing. The next day, with downcast ⁷ eyes and palpitating heart, poor Germain starts to little Marie's. He finds her sitting alone by the fire, sewing ⁸ and singing to herself in ⁹ [a] low voice. When she sees him enter, she lets fall what she was sewing and becomes red as a rose. ''Those at home,'' says he, ''have sent me to ask you to marry me. You will not do it, I know; ¹⁰ but I must obey them, and I await your answer.''

1. Use perfect tense. 2. **aimer mieux.** 3. The clause following is direct object. 4. **vouloir de.** 5. **se décider.** 6. **sans** with infin., or **si** (usually without **pas**). 7. **baissé.** 8. **coudre.** 9. **à.** 10. Supply *it*.

EXERCISE XXX. 76, 18.

Marie tried to answer; then, all trembling, she dropped her eyes and kept silent. "Is it for fear of me that you tremble?" said Germain. "Do not be afraid.[1] I will go." But without speaking, her face still averted, Marie stretched out her hand to him. Not daring to take her hand, poor Germain continued: "Yes, I see you pity me; but why[2] will you not love me?" Then, his tongue suddenly loosed[3]: "O! Marie, how I have suffered[4] since that night ( ) we were together in the woods! I came near kissing you while you were-asleep, but I should have died of shame if I had done it. Since then I have kissed you a thousand times in my dreams, while you slept without thinking of me. And now if you did but[5] look-at me once, you would make me die of joy." Little Marie did not cease to tremble; but, suddenly turning, she raised towards him her eyes, all filled with tears: "Ah, Germain," she sobbed, "can you then not guess?"

1. avoir peur.   2. que, without pas.   3. délier.   4. Present.
5. ne faire que.

MARIN UNION
JUNIOR COLLEGE